김익권 장군 자서전 2

김익권의 아버지 김용대. 1952. 2.

김익권 장군 자서전 2

金益權 將軍 自敍傳

우리 아버지 이야기

열화당 영혼도서관

일러두기

· 이 책은 저자 김익권(金益權)이 그의 부친 김용대(金溶大)의 삶과 가르침을 추억하며 집필하여 1984년 을지출판사
  에서 출간한 『우리 아버지』를, '김익권 장군 자서전' 의 두번째 권으로 삼아 새로이 편집한 것이다.

· 원문을 그대로 수록하는 것을 원칙으로 삼았으나, 다만 각 글의 제목은 글 내용과 이 책의 구성에 맞게 가다듬었고
  명백한 오자(誤字)는 바로잡았다.

· 저자 주(註)는 별도의 표시 없이 달았고, 저자의 둘째딸 김형인(金炯仁)이 작성한 부연설명과 어휘풀이 성격의 편자
  주는 '―편자' 라고 표시했다.

· 1984년 초판본 말미에 실린 시(詩) 중 저자와 그의 아내 한정희(韓貞嬉)가 지은 시는, 이 자서전 세 권의 구성에 맞도
  록 『김익권 장군 자서전 1―참군인을 향한 나의 길』로 옮겨 실었다.

· 이 책의 모든 편집은 김형인과 열화당 편집실의 공동작업으로 이루어졌다.

서(序)

이 책은 나의 아버지에 관한 이야기이다. 우리 아버지라고 부르는 것이 더욱 친밀감이 나서 '우리 아버지'라고 했다.

내가 이 세상에 태어나 한평생을 걸어오면서 뭇 사람들한테서 영향을 받으며 성장해 오는 가운데, 수수하게 살다 가신 촌로(村老) 우리 아버지한테서 받은 영향만큼 큰 것이 없기에, 우리 아버지의 인격과 인품이 나의 뼈와 살이 된 것 같다.

이 세상 사람들 누구라도 자기 아버지를 존경하고 받드는 바대로 나도 역시 아버지를 사모하지만, 그것을 넘어서 나는 많은 마음의 양식을 우리 아버지한테서 물려받았기에 더욱 그분을 존경하고 흠모한다.

내가 내로라하고 자서전 같은 것을 남겨 놓은 것이 없기에, 나의 자녀와 후손 또는 친척들을 위해서라도, 인생 교훈을 위해, 내 나이 예순에 아버지가 그리워 돌아가신 지 오랜 우리 아버지의 이야기를 남겨 놓고 싶은 충동을 느껴 기억을 더듬어 가며 이 글을 쓴다.

우리 아버지는 서기 1883년(계미생) 경기도(京畿道) 광주군(廣州郡) 언주면(彦州面) 학리(鶴里)〔지금의 서울시 강남구(江南區) 학동(鶴洞)〕에서, 부농이며 무인〔武人, 강화(江華) 주문도(注文島)

5

수군첨절제사(水軍僉節制使) 역임〕이신 나의 조부(祖父) 김봉성
〔金鳳聲, 자는 완주(完周)〕님의 제오자(第五子)로 태어나셨다. 이
름은 용대(溶大)이시고 호는 학산(鶴山), 아명(兒名)은 성재(聖哉)
이시다. 그분의 아버지가 천 석 가량 하신 분이고 무장(武將)을 지
내신 분이라 큰 고생을 모르고 자라나셨지만, 당신의 어머니 되시
는 나의 할머니가 계모〔繼母, 후처(後妻)〕이시라, 전처(前妻) 소생
인 형님들에게 유산의 대부분이 돌아갔고 당신 자신은 별로 큰 재
산을 물려받으시지 못하였으므로, 한평생 자수성가하다시피 노력
하신 분이다. 자기보다 두 살 위인 나의 어머니 박(朴) 씨를 아내
로 맞아 한평생을 해로하시다가 서기 1963년 여든 살을 사시고 돌
아가셨다. 슬하에 삼남이녀를 키우셨다.

1984년 8월
김익권(金益權)

차례

글씨를 천히 여김은 제 아비를 천히 함과 같다 — 書賤父賤

우리 아버지는 어려서 글방에 다니셨다. 한때는 글방 선생님이 "서천(書賤)은 부천(父賤)이니라", 즉 "글씨를 천히 여기는 것은 제 아비를 천히 하는 것과 같다"라고 가르쳐 주셨다. 이유야 여하튼 간에 이 세상에서 자기 아비를 천하게 생각하는 것보다 더 불효스러운 것은 없는 노릇이다.

그 말씀이 사무치셨던 모양이다. 한평생 글씨 있는 종이, 즉 붓글씨든 펜글씨든 인쇄된 활자이든 간에 뒤 닦거나 코 풀거나 하시질 않았으며, 또 자녀들에게도 그렇게 가르치고 실천시키셨다.

예전에는 문화 수준이 지금처럼 높지 않아서 휴지라곤 드물었다. 더군다나 시골의 변소에서는 볏짚이나 옥수숫대 겉껍질 같은 것을 사용하였다. 종이는 흔치 않았다. 나는 가끔 이런 것을 보았다. 담뱃갑(종이로 된 궐련갑)이 휴지로 활용되었는데, 우리 아버지는 반드시 담뱃갑에 인쇄된 글씨는 도려내고 남은 것을 노끈에 꿰어 놓고 쓰시곤 하였다. 간혹 상품의 포장지 같은 것이 생기면 그것을 손바닥보다도 작게 일매지게 오려서 묶어 매달아 놓으신다. 지금 같아서는 우스운 얘기지만, 너무나 규모있는 검소한 생활이고 또 정성스러운 일이었다.

나는 성장하여 결혼 후 가정생활을 하면서 아이들이 국민학교에 다니고 있을 무렵, 한때 아버지께서 우리 집에 다니러 오셨다가 신문지로 휴지 하는 것을 보시고는 크게 꾸짖으신 것을 기억한다. 그 후로는 다시는 글씨 있는 종이로 휴지를 안 하기로 했다. 지금은 휴지가 흔해져서 다행이다.

　"철이 난 후 글씨 있는 종이로 휴지를 안 했더니, 그 덕분으로 너희들 오남매를 대학, 전문(專門)까지 가르쳤노라"하고 아버지께서 노후에 말씀하시곤 했다.

기울어진 가운(家運)을 일으키다 — 自手成家

우리 집안은 나의 고조부(高祖父)[1] 때 살림이 일어나기 시작해서 증조부(曾祖父)[2] 때 추수가 천 석 가까이 이르러, 소위 천석꾼이 되었다.

나의 조부(祖父)[3]는 외아들이신 데다 평생 무인(武人, 고종 때) 노릇을 하셨으니 재산은 그대로 이어졌다. 그러나 우리 아버지[4]는 다섯째아들[5]—그것도 계모의 아들—인지라 별로 큰 유산을 받지 못하셨다. 그런데 장자와 장손이 그 많은 재산을 이대(二代) 동안에 모두 탕진해 버렸다. 예전에 조부 살아계실 때 우리 집 땅이었던 숱한 전답(田畓)이 모두 남의 것이 되고 말았다. 우리 아버지는 기울어진 가운(家運)을 다시 일으키기 위하여 손발이 닳도록 일하시고 근검절약하시면서 갖가지로 노력하셨다.

예전에는 시골에 가면, 시골 농부 신발은 주로 짚신이니까 농부들이 신고 다니다가 해져서 떨어지면 그대로 길가에 벗어버린 것이 종종 눈에 뜨이곤 했다. 우리 아버지 말씀이 "헌 짚신 내버린 것 길가에

1. 김덕록(金德祿, 1790-1849). 가선대부(嘉善大夫), 한성부좌윤(漢城府左尹)에 증해졌다.—편자
2. 김치영(金致英, 1823-1867). 가선대부로서, 동지중추부사(同知中樞府事) 겸 오위장(五衛將)을 지냈다.—편자
3. 김봉성(金鳳聲, 1840-1901). 가선대부로서, 무과에 합격하여, 절충장군(折衝將軍) 용양위부호군(龍驤衛副護軍), 덕포진관(德浦鎭管) 주문도(注文島) 수군첨절제사(水軍僉節制使)를 지냈다.—편자
4. 김용대(金溶大, 1883-1963). 경기도 광주군 언주면 학리의 이장과 선정릉(宣靖陵) 참봉을 지냈다.—편자
5. 다섯 아들은 김용선(金溶善, 1860-1912, 동지중추부사 역임, 가선대부), 김용구(金溶龜, 1865-?, 무과 합격), 김용현(金溶顯, 1869-1937), 김용후(金溶厚, 1881-1901), 김용대이다.—편자
6. 김익권의 아버지 김용대는 그의 재산 중에서 값나가는 전답은 일제강점기에 자식들의 교육비와 뒷바라지에 다 쓰고, 각각 일만 평 되는 야산(野山) 둘과 감나무와 채소를 심던 밭 삼천 평만을, 광주군이 서울시로 편입되어 강남구로 재편성되던 시기에 자손에게 물려주었다. 김용대가 살던 때에는 대개 값비싼 논은 최후까지 지키는 것이 통례였으므로, 그의 이러한 이재(理財) 방법에서도 남다른 현안(賢眼)이 돋보인다.—편자

엎어져 있으면 보기에도 흉하고 하니 단장으로 바로 젖혀 놓으면서 '우리 집안 다시 복구해 주옵소서!' 하고 기도 드리길 평생껏 했노라" 하신다. 그 덕분인지는 몰라도, 오형제 중 물려받기는 제일 적었지만 기울어진 가운을 중흥하셨고, 남달리 자녀 교육에 힘쓰셨으며, 사후(死後) 자손에게 남겨 주신 유산[6]이 있었다.

의지와 결심과 정성이 자수성가를 이룬 것이다.

뜻밖의 벼슬 능참봉(陵參奉)

아버지께서는, 나라는 망하고 일제 식민지하의 백성으로 망국의 한을 품고 살다가 팔일오 해방을 보셨다. 일정시대(日政時代)에는 신학문(新學問) 하신 바 없어 농사에 종사하면서 고작 이장(里長) 노릇을 하셨다.

해방이 됐다. 이젠 내 세상이 된 것이다. 구학문(舊學問)은 있으시지만 벼슬할 나이와 여건이 안 되는 것이다. 속에 학문과 교양이 있으면서 아무 벼슬도 못 하고 죽어서 영정에 '현고학생(顯考學生)'이라고 씌어지는 것, 즉 백두(白頭, 벼슬이 없어 관을 쓰지 못하는 흰머리)로 늙는 것이 무척 서운하셨던 모양이다.

그런데 해방 후 갑자기 이왕직〔李王職, 구왕실(舊王室) 재산을 관리하던 기관〕에서 선정릉(宣靖陵) 참봉(參奉)을 해 달라고 해서 육이오 전란 직후까지 능참봉을 하셨다. 능참봉이란 종래에는 왕릉을 관리하는 종구품의 벼슬로서 높은 것은 아니지만, 별정직으로서 일반 서민으로서는 지체가 높지 않으면 못 하는 벼슬이다.

고향인 학리 부근〔지금의 강남구 삼릉공원(三陵公園)〕에 선정릉이 있다. 조선 성종(成宗)과 중종(中宗)의 능이다. 우리 아버지가 이장을 오래 하신지라 면사무소(강남구 역삼동)에 뻔질나게 다니셨는데, 그 길목에 능(陵)이 있었다. 일제강점기 당시에 나라 망한 지 오랜 후라 뉘라서 능 옆을 지나다니면서 먼 옛날의 국왕에 대한 예의를 지키겠는가마는, 우리 아버지는 선정릉 옆을 지나갈 때면 반드시 절을 하고 지나다니셨다고 전한다.

우리 아버지 말씀이 "한평생 지나다니면서 조상님들이 섬기던 임금님께 공손히 경례하곤 했더니 뜻밖에도 늙어서 능참봉을 제수해 주시는구나" 하신다.

우리나라 마지막 왕조의 마지막 능참봉직(지금은 제도가 바뀌어 문화부 공무원)을 맡으신 셈이 되는데, 늙으셔서 소원하신 대로 검은 갓〔冠〕을 쓰시고 백두를 면하셨으며, 사후(死後)에 그분 비석에는 떳떳하게 "宣靖陵參奉…之墓(선정릉참봉…지묘)"라고 적혀 있다.

음덕(陰德), 보이지 않는 선행

나는 어려서 아버지로부터 중국 옛날이야기를 많이 들었다. 그 중에 '손숙오(孫淑敖)의 음덕'이란 이야기가 있다.

외아들인 숙오는 홀어머니 슬하에서 시골에서 자라났다. 여덟 살인 가 아홉 살이던 어느 날, 밖에 나가 놀다가 돌아온 숙오가 밥상을 받고도 훌쩍훌쩍 울고 있었다. 이상히 여긴 어머니는 웬 영문인지 캐물었다.

숙오는 "어머니, 저는 이제 죽을 거예요" 하고 말한다.

"왜?"

"오늘 들에 나가 놀고 있는데 양두사(兩頭蛇, 머리가 둘 달린 뱀)를 보았어요. 양두사를 본 사람은 죽는다지 않아요? 그래서 저는 슬퍼서 웁니다."

"그래, 그 뱀은 어떻게 됐니?"

"나 혼자 봤으니, 기왕 죽을 몸, 또 다른 사람 눈에 띄면 다른 사람이 상할까 봐 제가 때려 죽여서 묻어 버렸어요."

"아이참, 잘했다. 하느님은 착한 마음 가진 사람은 죽이지 않는 법이란다. 아무 걱정 말고 밥이나 잘 먹어라" 하고 어머니가 숙오의 머리를 쓰다듬어 주셨다.

과연 어머니 말씀대로 손숙오는 죽지 않았고, 후에 성장해서 학문과 인격이 드높아져서 나라의 정승이 되어 백성을 훌륭히 다스리고 오늘날까지 그 이름이 전해져 오고 있다.

　나는 후에 중학교에 들어가서 한문책에서 이 글을 보고 아버지의
교훈을 되새겼다. 내 어릴 때부터 아버지는 음덕(남이 보지 않는 가
운데서 남을 위해 착한 일을 하는 것)에 관해서 가르쳐 주시고 산 모
범을 보여 주셨다.
　시골길을 가노라면 사기그릇 깨진 사금파리 조각이나 유리병 조각
들이 눈에 띄곤 하는 노릇이다. 우리 아버지는 시골 사람들이 농사지
을 때 흔히 맨발로 다니다가 찔려서 다칠세라, 과히 바쁜 걸음이 아닐
때에는 반드시 손으로 주워서 사람 발길이 안 닿는 돌창이나 나무섶
에 던지고 가신다. 한평생의 신조로 삼으셨다.
　요새 말하는 자연보호보다는 한 차원 높은 얘기이다.

정직과 청백(淸白)의 삶

사람은 나의 것이 아니면 수억만금(數億萬金)이나 금덩어리라도 탐내지 말고 정직청백하게 사는 것이 복을 받는 길이라는 것을 어렸을 때부터 귀가 따갑게 들어 왔다. 그래서 그런지 나도 한평생 정직하게, 청백하게 살려고 노력은 한 셈이다.

내가 어려서 보통학교(지금의 초등학교) 삼사학년 시절이다. 쉬운 일본말은 알아들을 때이다. 아침 조례시간에 일본인 교장 선생님이 단상에서 경례 받은 후 훈시를 하시는데, "이 세상에서 어떠한 마음씨를 지니고 사는 것이 가장 훌륭한 것이냐" 하고 물으시고, 누구든지 손 들어 대답하라는 것이었다. 나는 자신만만하게 손을 들었다. 나를 지명하신다. 평소에 아버지가 가르쳐 주신 대로 "정직입니다"라고 대답했다. 맞았다고 칭찬해 주실 줄 알았는데, 그렇지 않고 다른 사람을 또 지명하셨는데 뭐라고 대답했는지 들리지 않았지만 그것도 아니다. 교장 선생님은 자기가 대답을 하되 "나라에 충성스러운 것"이라고 한다. 나는 의아스럽게 생각했다. 나이 먹은 후에야 일제 교육방침과 아버지의 인간교육의 차이를 알게 되었다. 아버지한테서 어려서 들은 황희(黃喜) 정승 얘기를 옮겨 본다.

조선 초엽에 황희라는 훌륭한 재상이 있었는데, 어찌나 청렴하고 청백한지 나라의 재상을 지내면서도 비가 오기만 하면 살고 있는 초가집의 지붕이 새서 하는 수 없이 두 부부가 방안에서 지우산(紙雨傘)

을 받쳐 쓰고 앉아서 지냈다.

아내 말이 "비가 오면 이렇게 지붕이 새니 너무하구려…" 하니, 황 정승 말씀이 "우리보다 더 가난해서 지우산도 없는 백성이 많다오…" 하더란다. 황 정승은 여러 대 임금님을 섬기다가 늙은 마나님을 남겨 놓고 돌아가셨다.

그때 중국에서 우리나라에 인재가 있는가 시험하려는 것인지 공작(孔雀) 한 쌍을 선물로 보내왔다. 나라에서는 이 신기한 새를 잘 키워서 체면을 유지해야겠는데, 중국 측에서 가르쳐 주는 바도 아니고, 갖가지 모이를 주어 봐도 도무지 먹지를 않아서 굶겨 죽일 지경에 이르렀다.

임금님께서는 신하들과 구수회의(鳩首會議)를 하시고 무엇을 먹여야 살릴 수 있을는지 근심이 태산 같았다. 하다못해 한 신하가 "이런 때 황희 대감이나 살아 계셨으면 혹시나 좋은 지혜라도 있을는지요…" 한다. 이 말에 임금께서도 귀가 번쩍 띄어, "그래, 혹시 그의 마나님이 평소에 무슨 얘기라도 들은 바 있을는지 모르니 어디 한번 사람을 보내서 알아보도록 해라" 하신다. 임금님 사신이 황 정승 댁을 찾아가 보니, 오두막살이에서 늙은 마님이 나오는데 도롱이로 앞을 가리고 나온다. 걸쳐 입을 치마도 없을 정도이다. 임금님의 뜻을 전하니, 노파는 한참 생각하더니 "별로 들은 바는 없지만, 제가 평소에 '영감 돌아간 뒤에는 뭣을 먹고 살란 말이오' 하고 아쉬워한 적이 있는데, 그 어른 말씀이 '공작새라 납거미⁷ 먹고 살까' 합디다마는…"

<hr />

7. 거미의 일종. 몸이 작아 약 0.8–1센티미터이며, 머리가슴은 편평한 반원형이다. 등 쪽에 흰 무늬가 있거나 배에 점이 있고 다리에는 검은 털이 나 있다. 밤에 활동하여 벌레를 잡아먹으며 집안의 벽에 동글납작한 집을 짓는다.—편자

이라고 말한다. 사자는 돌아가서 임금께 이대로 아뢰니, 납거미를 잡아오라는 영을 내리시어, 납거미를 잡아다 공작새에게 주니 콕콕 잘 쪼아 먹어 공작을 살렸다는 얘기이다.

후에 중국에서 사신이 와서 공작이 살아 있는 것을 보고, 역시 조선에 인물이 있다는 것을 중국 천자(天子)에게 보고했다는 것이다. 청렴결백하고 오직 나라만을 사랑한 분은 죽은 뒤에도 나라의 미래를 위해 예언을 남겨 놓고 가셨다는 뜻있는 일화다.

임금님께서는 기뻐하고 황 정승의 미망인이 어찌 살고 있더냐 물으시니, 사신은 본 대로 걸치고 나올 치마도 없어서 도롱이로 앞을 가리고 맞이하더라 여쭈니, "참 안됐구나" 하시고, "오늘 나라 호조(戶曹, 재무 담당 부서)에 들어온 물건은 모두 황 정승 댁으로 보내라" 하시니, 호조에 알아본바 "금일 호조에 들어온 물건은 '곤달걀' 뿐이옵니다" 한다. 임금이 감탄하여 "황희가 살아서 청백하더니 죽은 후에도 변치 않고 청백해서 오늘따라 호조에 들어온 물건〔국세(國稅)〕이 곤달걀뿐이란 말이냐!" 하시며, 따로 분부하여 식량과 옷감과 땔감을 마나님에게 하사하셨다는 얘기이다.

우리 조상들의 올바른 선비는 이와 같은 귀감을 후손들에게 끼치고 있건만….

효(孝), 착하고 어진 마음

유교가 사회윤리의 기준이었던 예전에는 효도는 뭇 덕행의 최상의 것이었다. 지금도 정도의 차이는 있을망정 으뜸가는 윤리일 것이다. 나무에 뿌리가 가장 중요하듯이 효(孝)란 만 가지 도덕의 근본과 같은 것이기에 가장 중요한 것이라는 말씀을 아버지로부터 많이 들어 왔다.

충청도엔가 시골에 강(姜) 효자라는 사람이 근세에 살았었는데 출천지효자(出天之孝子)라, 어떤 때는 홀어머니가 노환으로 누워 계신데 몸이 쇠약해지신 터라 엄동설한에 잉어가 먹고 싶다 하시니 얼음 덮인 냇가에 나가서 물끄러미 지켜보면서 '잉어를 얻을 도리가 없겠습니까' 하고 슬픔에 젖어 있노라니까, 별안간 얼음이 쩽 하고 깨지면서 잉어 한 마리가 튀어나오더란 얘기 등, 지성이면 감천이라고 지성스런 효자는 하늘이 알아보고 기적을 이룬다는 말씀을 여러 번 들었다. "나무가 고요하려 해도 바람이 멎어 주질 않고, 자식으로서 부모를 봉양하고자 해도 부모가 그때까지 기다려 주시질 않는다(樹欲靜而風不止 子欲養而親不待)" 하는 글 구절도 여러 번 들었다. 부모는 그 자식이 병드는 것을 가장 두려워함이니 자식 된 몸으로서 부주의로 병드는 것이 제일가는 불효라는 말씀도 들었다.

아버지께서는 나의 조모(祖母)[8], 즉 당신의 어머니 살아 계시는 동안 ―조부께서는 일찍 돌아가셨다― 효성을 극진히 하셨다. 늙어 돌아가심에 구일장(九日葬)을 모신 다음에 장렛날 산소에 눌러앉아 삼 년 동안 시묘살이를 하려고 늦도록 돌아오시질 않았다. 나의 어머니[9]는 성격이 대범하고 괄괄한 성품이시다. 오남매를 거느린 큰 살림살이를 어찌 하려고 삼 년 동안을 산소 곁에서 생활하시려 하니, 옛날 같으면 몰라도 되지 않을 얘기라고 하시면서 머슴을 앞세우고 십여 리 되는 산소까지 가서 막무가내로 남편을 끌고 돌아오셨다. 하는 수 없이 돌아오시기는 했지만, 마나님 때문에 삼 년 시묘살이 효자 노릇 못 하신 것을 평생의 유한으로 여기고 계셨다.

그 후로 상(喪)을 벗기 전에 태기(胎氣)가 있어 뜻하지 않은 막내아들인 나를 잉태한 것이다. 여덟 달이 접어드니 아내의 배가 불러 오기 시작하여 남의 이목에 부끄러워 하셨다. "당신 때문에…" 하는 말다툼이 벌어져, 어머니는 남의 눈을 피하시려 함인지 머슴을 앞세우고 친정인 용인 땅 팔십 리 길을 단숨에 걸어가셨다. 친정집에 가서도 견디기가 수월한 일은 아니었던지 수삼 일 후에 집으로 돌아오셨다. 안팎으로 무거운 배를 안고 일백육십 리 길을 걸으신 폭이다. 팔 개월 만에 아기를 조산하셨다. 낳아 놓고 보니 말간 새 새끼같이 덜 여물어서 솜에 싸서 윗목에 밀어 두었는데 천행으로 살아났다고 한다.

이것이 바로 나의 출생담이다. 그래서인지 나의 뒤통수가 넓적하다.

어려서 무엇이든 서툴러 잘못하면 '여덟 달 반'이라고 누이들한테 놀림을 받았다. 우리 아버지는 '성삼문(成三問) 같은 출천지충신(出天之忠臣)도 여덟 달 반'이란 얘기를 해 주신 기억이 있으니 나를 위

---

8. 정부인(貞夫人) 경주김씨(1848-1922).—편자
9. 박용인(朴容仁, 1881-1959).—편자

로함이었던가.

또 늘 하시는 말씀이, "부모가 돼서 자식들에게 효도하라는 것은 늙어서 봉양 잘 받으려는 뜻이 아니라, 너희들이 복을 받으라고 하는 소리이다"라고 일러주셨다. 옳은 말씀인 줄 안다.

효란 인(仁)의 마음, 착하고 어진 마음이니, 인자(仁者)는 근심이 없고 다복(多福)하게 마련이니까.

평생의 일기(日記)

우리 아버지는 한평생 일기를 붓으로 쓰셨다. 그분의 일기에는 양력, 음력 날짜 밑에 일기(日氣), 모든 그날의 중요 행사, 사람의 오고 감, 금전출납(金錢出納) 같은 기록이 합해져 있다.

아침 일찍 일어나면 그날의 점을 쳐서 괘(卦)를 풀이하고 일기에 기록하신다. 그날의 운과 거취를 결심하는 데 참작하시는 것이다. 일기는 짤막한 가운데 간혹 신나는 기분이나 환경에서는 한시(漢詩)와 시조(時調)를 읊으신 것이 군데군데 나온다.

사람들은 해가 바뀌어 새해를 맞이하면 '금년부터는 일기를 써야지' 결심을 하고 며칠 쓰다 마는 수가 많다. 나도 그러했다. 일제강점기하에서 중학교 때 검열용(檢閱用)으로 강제로 학교에서 시킨 것을 제외하고는….

그런 의미에서 우리 아버지는 의지와 정성과 끈기로 한평생을 보내신 분이다. 그 많은 일기장이 육이오 전란 통에 몽땅 불타 없어지고, 아마 마지막 부분이 될, 한 이삼 년 치의 한 권만이 내 손에 남아 있다. 아마 일흔다섯에서 일흔일곱까지 쓰신 것 같다. 거기에서 간신히 한시와 시조를 엿보게 되니 자식으로서 무척 기뻤다. 그곳에 실려 있는 것으로서, 내가 군인생활 하던 중 진해(鎭海) 육군대학에 근무하고 있을 때 진해에 구경 와서 읊으신 한시 두 수를 소개한다.[10]

漢陽歸客向南來 한양의 나그네가 이곳 남쪽에 내려와 보니

無邊水色如天開　가없는 물빛이 하늘과 같이 열렸구나

看花忽覺三春日　벚꽃이 활짝 핀 것을 보니 벌써 봄이 한창이로구나

華麗酒家又一杯　화려한 술집 있으니 또 한잔 안 할 수 있나

去去紅塵去　이 세상의 속된 먼지 훌훌 털어 버리고

來來碧水來　이곳, 바닷가 푸른 물을 찾아왔구나

眼前山猶綠　안전의 산색은 더욱 푸르고

遠入白雲中　멀리 백운 속으로 들어갔음이여[11]

10. 1958년 봄, 김익권이 진해 육군대학에서 학생감을 하고 있을 때 아버지를 모셔 와서 한 달가량 머물렀다. 육이오가 휴전된 지 오 년이 지난 시기로, 김익권은 그 동안 전방의 근무와 군사교육차 미국 유학도 두 번이나 마친 후였고 또 신경성 소화불량도 해소됐으며, 딸 셋을 내리 출산한 후 뒤늦게 얻은 아들도 돌이 지난 터였다. 김익권 자신과 그의 주변이 안정되고 심신이 편안해져, 개통된 지 얼마 되지 않은 서울 부산 간 비행기 편으로 아버지를 모셔 와 주말이면 부근의 풍광 좋은 곳으로 모시고 다니면서 한껏 효도했다. 당시 김용대는 흡족했던지 감흥이 일어 여러 편의 한시를 남겼다.—편자

11. 1958년 4월 13일 진해 속천(束川)에서. 진해만에 속천이란 부둣가가 있어 어선(魚船)들이 닻을 내리는 곳인데 바다와 산의 경치가 수려하다.

도당굿〔土神祭〕의 추억

농촌에서는 예전 풍습으로서 일 년에 한 번 시월상달에 토신제(土神祭)를 지내게 마련이다. 내가 살던 고향에서도 뒷동산 도당(都堂) 재(齋)에서 도당굿을 매년 한 번 하는데, 이것은 일 년 중 부락을 위해서는 가장 큰 축제이다. 고사떡·돼지머리·과일·술 등을 차려 놓고 무당을 불러다 굿을 하고 광대가 줄을 타기도 한다. 이는 동리(洞里)가 총동원된 잔치놀이라서 남녀노소가 함께 즐긴다.

인근 몇 개 면(面)에서 엿장수란 엿장수는 다 모여든다. 가래엿, 넓적한 흰엿, 검은엿, 깨엿 등 가지각색 다 있는데, 흰엿에다 색사탕을 박은 것이 제일 비싼 엿이다. 아이들은 각기 자기 부모님한테 돈을 얻어서 엿을 사 먹는다. 이때가 되면 우리 아버지도 돈을 주시는데, 동전 삼 전 내지 오 전밖에 주시질 않는다. 우리보다 살림이 못한 집 아이들도 더 사 먹는데, 동리에서 제일 잘사는 우리 집인데도 그러하다. 너무나 규모가 있으신 것이다.

자손을 키우시는 데 군것질엔 인색하리만큼 절약정신이 가풍 속에 배어 있다. 귀여운 손자 손녀들 백일이나 돌잔치 같은 때에도 흰밥에 미역국이나 끓이고 경단이나 흰무리떡을 해 먹는 것이 고작이다. 우리 형제 자매들은 그런 풍속과 가풍 속에서 성장했다.

"일찍 피는 꽃은 일찍 시드는 법. 복은 느지막하게 오래도록 누려야지. 하늘이 한 사람에게만 복을 주시더냐. 어려서 호강하면 늙어서 고생한다."

여러 가지 사려 있는 실례를 들려 주셨다.

　이와 같이 굳으신 분이지만 자녀들 교육비나 그 뒷바라지에는 후하신 분이었다. 돈을 아낄 때 아끼고 써야 할 때는 아낌이 없으셨던 분이다.

감나무에 쏟은 정성

아버지는 결혼 후 젊은 나이에 안질(眼疾)에 걸리셨다. 그때만 해도 오늘날처럼 병원이 있을 리 없다. 어머니도 옮아서 내외분이 고생을 하셨다. 어머니는 완치되셨는데, 아버지는 심하셔서 가마를 타고 몇 십 리 되는 곳까지 치료를 다니셨지만 결국 한쪽 눈을 실명하시고 말았다. 얼마나 원통하셨겠는가.

그때부터 세간(世間)에 나가서 크게 활약해 보겠다는 뜻을 후퇴시키시고, 농촌에서 농사나 짓고 과수나 가꾸며 생애를 보내기로 결심하셨다. 평생에 감나무 일백 주를 심겠다고 벼르셨다. 동리에 감나무 노목(老木)이 서너 그루 있었지만 그것은 감이 잘았다. 아버지께서는 멀리 충청도 영동(永同) 지방에 가서 좋은 감씨를 구해다가 묘목을 기르고 접을 붙여서, 접이 붙은 것은 옮겨 간격을 두고 밭고랑에 심으셨다. 접붙인 감나무를 모두 옮겨 심기에는 당신이 부모로부터 물려받은 밭이 너무 좁았다. 우리 아버지는 접붙은 나무들에게 '너희들이 설 곳은 너희들이 찾아가 다오' 하시며 나무에게 기도 드리곤 하셨단다.

한 해, 두 해, 서너 해, 해가 거듭하는 동안 인근 밭이 저절로 나서 하나하나 매입해 수중에 들어오게 되었고, 그곳으로 어린 감나무를 옮기게 되었다. 크게 자란 감나무들은 그 후 수십 년 동안 좋은 감이 열려서 자랑스러운 것이 되었다.

일백 주를 기약하고 일백 주는 못 채우셨지만, 감나무가 들어선 밭

은 자손들에게 물려주셨다. 과일나무를 자식처럼 사랑하고 나무에게
기도 드리는 마음, 나는 그 정성과 의지를 본받아야 할 것으로 생각한
다.

노란 돈, 백 원

고향인 광주군 언주면(현 서울시 강남구)에는 유서 깊은 봉은사(奉恩寺)가 있다. 우리 집에서 오 리쯤 거리에 있는 조계종(曹溪宗) 경기도 총본산(總本山)이었다.

예전 조선 명종조(明宗祖)에 보우(普雨)라는 유명한 고승이 주지 노릇 한 절이요, 승려들의 과거시험인 승과(僧科)가 치러지던 절이요, 임진왜란 때 큰 공을 세운 유명한 사명대사(四溟大師)도 이곳에서 승과를 치렀다. 일제강점기 때 얘기지만, 한때 실화(失火)로 봉은사 본당(本堂)이 소실됐다. 애석한 노릇이다. 절에서는 본당 재건을 위해 의연금〔義捐金, 희사금(喜捨金)〕을 널리 거두었다. 우리 아버지한테도 희사의 요청이 왔다. 선뜻 일금 백 원을 내놓으시기로 했다. 그 당시의 백 원이란 돈은 큰돈이어서 지금으로 치면 몇 백만 원이 넘는 액수였다.[12]

그 당시 아버지께서는 연로해서 경제활동에서 물러나시고, 나의 둘째형이 기와공장과 한강의 도선사업(渡船事業)을 하고 있을 무렵이다. 도선장에서는 매일 돈이 들어온다. 아버지께서는 매일 조금씩 오전, 십 전짜리 주화—노란빛 띤 것—를 얻어 꾸러미에 꿰어 오랜만에 백 원을 모으셨다. 이것을 강가에 나가 수세미와 모래로 깨끗이 닦아 반짝반짝 노란빛이 나게 해서 다시 꾸러미로 엮어 싸 가지고 절에 가

12. 1984년의 이야기이다.—편자

서 불공을 드리고 바치셨다.

유교를 신조 삼았지만 부처님을 숭상하셨고, 특히 자손들을 위하여 관세음보살(觀世音菩薩)을 염불하셨다. 노란 주화를 깨끗이 닦아 광을 내서 바치시는 마음의 정성이 갸륵한 것이다. 또 아들의 생계에 축이 나지 않는 방법으로 티끌 모아 태산 만드는 방식으로 큰돈을 만드신 슬기가 본받을 만하다.

산이 제일 소중하지

예전에는 농촌에서 논이 제일 소중하였다. 주곡(主穀)인 쌀이 나는 곳이다. 다음이 밭이다. 잡곡과 채소가 나기 때문이다. 다음이 산이었다. 지금처럼 개관(漑灌)과 과수업(果樹業)이 발달하지 못하였기 때문이다. 야산에서는 고작 해야 땔나무를 하거나 밤나무를 심어 약간의 소출(所出)이 나곤 했다.

그런데 우리 아버지는 항상 "지금 사람들은 논을 제일 소중히 여기고 그다음이 밭이고 산을 제일 낮게 보지만, 이다음 장래는 산〔야산(野山)〕이 제일 소중하고 다음이 밭이 되고 그 다음이 논으로 될 날이 올 것이다"라고 말씀하셨다. 이유는 별로 말씀을 안 하시니 그렇거니 하고 등한히 여겨 왔다.

팔일오 해방이 왔다. 건국 후 토지개혁이 됐다. 논을 많이 가졌던 사람들은, 삼천 평 이상인 것은 소작인들에게 분배되어 부자들이 몰락했다.[13] 밭과 산은 예외였다. 농촌은 점차 도시화하고 산업화가 진행되는 가운데 종래에는 가치가 가장 헐하던 야산이 집 짓고 살기에 제일 쾌적한 곳으로 바뀌었고, 따라서 그 땅값도 금값으로 변했다.

아버지 자신이 나무를 사랑하고 산을 아끼시며 당신의 아호(雅號)도 학산(鶴山)이라 하셨지만, 자녀들 가르치고 살림 내주시느라고 논

---

13. 1950년 3월에 시행된 토지개혁은 경자유전(耕者有田)의 원칙하에 소유한도를 최고 삼 정보(町步) 곧 구천 평으로 하여, 그 이상의 농지(農地)를 정부가 유상매수(有償買收)해서 소작인들에게 유상분배하는 것을 골자로 한다. 하지만 곧바로 발발한 육이오 때문에 제대로 보상되지 못하여, 사실상 지주 세력의 몰락을 초래했다. 여기서 김익권은 삼 정보를 삼천 평으로 혼동하여 쓴 듯하다.—편자

은 다 없어지고 돌아가실 때 야산과 밭만 남겨 놓으셨다.

이제 와서 생각하니 선견지명이 있으신 분이라고 생각하며 고맙게
여긴다.

정성 다하면 하늘도 감복하리니—至誠感天

우리 아버지께서는 조상 제사(祭祀)에 대해서는 간소하지만 정성스레 모셨다. 제사에는 생활 정도에 따라 분(分)에 맞게 정성을 다하면 되지만, 최소한 세 가지 적(炙), 즉 모(毛, 털 달린 것. 쇠고기나 돼지고기), 우(羽, 깃 달린 것. 닭이나 꿩 같은 것), 린(鱗, 비늘 달린 것. 물고기)의 적을 붙여 놓으면 된다는 철학을 말씀하시곤 했다.

평상시에야 이 세 가지 갖추기에 무슨 힘이 들겠는가. 그런데 육이오 전란이 밀어닥쳐 미증유의 난리를 겪게 되었다. 『정감록(鄭鑑錄)』 말마따나, 경기(京畿) 근교에는 계견성(鷄犬聲)이 멎고 닭과 돼지의 씨가 말랐다.

그때 아버지는 고향에서 능참봉(陵參奉)을 하고 계시던 때인데, 향리(鄕里) 집이 전화(戰火)로 불타서 구이팔 수복 후 능집[14]에서 살고 계실 때이다. 음력으로 시월에 접어들어 조상님들의 시제(時祭)를 모셔야 했다.

미리부터 유념하여 술은 봉해 놓으셨지만, 모·우·린을 구하기가 매우 어려웠다. 제삿날은 차츰 다가오는데 겨우 양미리(멸치보다 큰 바닷물고기인데, 말려서 새끼로 엮어 육이오 때 팔러 다녔던 맛없는 하치 생선) 장수가 지나가니 반가이 사 두었고, 십여 리 떨어진 곳에 가서 억지로 돼지고기는 몇 근 살 수가 있었다. 호박과 고추는 있어

---

14. 능집은 왕릉 내에 있는 재실(齋室)의 일부를 일컫는다. 재실이란 묘제(墓祭)를 지내기 위해 지은 건물로서 제사에 참석하는 사람들의 숙식을 돕고 제사음식을 장만하던 곳이며, 그 안에 능참봉의 집무실이 있다.—편자

전을 부칠 수 있었지만, 모·우·린 중에 '우'가 모자랐다. 닭이 있을 리 없고 더군다나 꿩이 있을 리도 만무하다. 난리가 나서 그러하니 할 수 있나 하고 체념하면서도 마음에 아쉬움을 금치 못한 채 제삿날은 당도하였다.

어머님과 누님 한 분이 부엌에서 전을 부치고 계시는데 때마침 손님이 한 분 찾아오셨다. 십 리쯤 떨어진 면소재지에 있는 국민학교 교장 되시는 분이다. 아버지를 선생님 선생님 하면서 따르는 분이었다. 노인한테 배울 바 있어 종종 찾아오는 것이다. 반가이 맞아들여 마나님보고 "제주(祭酒) 봉해 놓고 제사에 올릴 전 따로 부쳐 놓았거든 한 잔 주구려" 하고 청하신다.

간소하나마 주안상을 놓고 정담(情談)이 오고 가는 중에 우연한 일이 생겼다. 시월이라 미닫이는 열어 놓은 채였다. 어찌된 일인지 산비둘기 한 마리가 와서 방 미닫이 문지방 위에 앉지 않는가.

"이게 웬일이냐." 하고 놀라시며 누님을 불러 "저 산비둘기가 웬일이냐. 혹시 사냥꾼한테 총에라도 맞아 상처를 입고 날아온 것이 아니냐. 붙잡아서 만져 봐라" 하시니, 누님이 손으로 붙잡았다. 산비둘기는 도망가려 하지도 않고 손에 잡혔다.

"멀쩡한데요. 살이 포동포동 쪘네요."

"이상하구나! 모·우·린 삼적 중에 깃 달린 것이 빠져서 서운해 했더니 아마 산신령님이 보내 주셨나 보다. 제사에 쓰자꾸나."

닭이나 꿩 대신 산비둘기 적을 시제에 쓰게 되었으며, '지성이면 감천'이라는 예부터 내려온 말씀을 주객이 주고받았다는 얘기이다.

전란 후 이 말씀을 아버지와 누님한테 듣고 나 역시 감명 깊게 생각하였다.

뒤가 있어야 해

내가 중학 이삼학년 때의 얘기이다. 방학 때 고향에 갔다. 아버지와 어머니께서 강가 집[15]에 살고 계실 때이다. 강가라서 바람이 심하고 또 겨울엔 강이 어는지라, 도적도 걱정이 되고 비바람도 막기 위해서 방 미닫이 창문 밖에 나무판대기로 짠 두 짝의 덧문이 좌우 개폐식으로 설치되어 있었다.

으레 낮에는 덧문을 열어젖히고 그것을 고정시키기 위하여, 두 쪽 문 폭보다 약간 긴 나무때기로 그 중앙을 줄로 묶고 줄은 문 꼭대기 문틀 중앙 못에 매달아 놓고, 나무때기로 양단을 열어젖힌 덧문 옆구리에다 버텨 끼워 놓았다. 그래야 덧문이 바람에 덜거덕거리거나 도로 닫히질 않는다. 그런데, 내가 보기에는 옆으로 걸쳐 놓은 나무때기가 수평이 아니고 약간 기울어져 있다. 막대기가 두 쪽 문 폭보다 약간 기니 하는 수 없다. 암만 해도 눈에 거슬린다. 어린 생각으로 문 폭과 똑같이 재서 자르면 똑 알맞고 수평을 이루어서 보기 좋지 않을까 하는 생각이 들었다. 톱으로 딱 들어맞게 잘랐다. 그런데 막상 끼워 보니 수평은 이루고 보기는 좋았지만 바람이 약간 불어 흔들흔들하기만 하면 버텨 놓은 막대기가 헐거워서 빠져 버리고 제구실을 하지 못

---

15. 이 집은 당시 뚝섬 나루터 강 건너 숫고을(지금의 서울시 강남구 청담동)의 초입에 있었다. 김용대는 기와 공장을 하기 위해 학리에 지었던 기와집을 고스란히 이곳으로 옮겨 왔다고 한다. 이후 이 집에서는 김익권의 둘째형인 충남대학교 방직학과 교수 김재권(金再權, 1906-1985)의 가족이 한때 도선업(渡船業)에 종사하며 그곳이 서울시로 개발될 때까지 살았고, 김용대도 둘째아들과 때때로 함께 살다가 그 집에서 임종했다.—편자

하지 않은가. 낭패였다. 그대로 걸어 놓았다. 모른 체하고 지났다.

다음날 아버지께서 "이것 네가 그랬니" 하신다.

"예." 나는 얼굴을 붉히며 머리를 긁적거렸다.

아버지께서는 "예끼, 자식도! 누구는 보기 좋게 딱 알맞은 것 모르데이? 헐거워서 못 쓰는 것보다는 삐딱해도 제구실하는 게 낫지 않으냐. 아직 철이 덜 났구나. 사람은 만사에 뒤가 있어야 해. 여유가 있어야 해. 넉넉해야 해. 뒤가 없는 사람은 자손이 귀하단다. 신발을 사 신어도 발에 꼭 맞는 것 사서 신으면 발이 덧나서 고생하지 않데이? 신발도 약간 헐거워야 한다" 하고 말씀하신다. 나는 무색해서 쥐구멍을 찾고 싶었다.

그렇다. 이것이 진리이다.

후에 성장하여 군대생활을 하면서 작전상 제일 중요한 것의 하나가 지휘관은 항시 예비대를 보유해야 불의(不意)에 대처하고 전과(戰果)를 확대하여 승리를 거둘 수 있다는 철칙(鐵則)을 배웠다.

누구라도 어렸을 때 딱 맞는 운동화나 신발을 사 신고 발뒤꿈치나 발가락이 아파서 고생해 본 경험이 흔히 있으리라. 나도 있다. 사람은 이런 체험을 통해서 배우고 자녀들을 가르치는 것이다. 내가 삼녀일남의 자녀를 두었는데, 외아들을 두었으니 예전 식으로 하면 자손이 귀할는지도 모르겠다. 가끔 아버지의 말씀이 예언처럼 되새겨지기도 한다.

세 가지 큰 소망

一曰 活人積德
二曰 男女教育
三曰 四仙從遊

아버지께서 남겨 놓으신 일기장 속에 적혀 있는 '학산 삼대소원'이
바로 이것이다.

첫째는 사람을 살리고 적덕(積德)하는 것이다. 한평생 침을 놓으셨
고, 나이 들어 늙으심에 시골에서 돈 안 드는 자연요법 약방문을 아픈
사람들에게 일러 주시기도 하며 활인(活人)해 주시는 일도 많았다.
인근 부락의 많은 사람들을 위하여 활인적덕하셨다.

둘째는 남녀 구별 없이 가르치고 싶은 소원이었다. 당신 자신의 자
녀에게 교육을 시키셨을 뿐 아니라 남의 자제들도 배우고자 하는 젊
은이들에게 당신이 지닌 학문의 길을 가르쳐 주시고 지도 계몽해 주
셨다.

셋째는 네 신선〔神仙, 상산(商山)의 사호(四皓)〕[16]을 좇아 노닐고
싶으신 꿈(소원)이었다. 당신 자신이 학문을 닦고 수양을 해서 도통
하고자 노력하셨고, 신선이 되어서 신선과 같이 노닐고 싶은 낭만을
지니고 사셨다. 일기 속에 이런 시조(時調)와 한시(漢詩)를 남기셨
다.[17]

이내 몸 출세(出世)하여 활인적덕(活人積德)하였다가
상산(商山)에 사호(四皓) 뵐 때 부끄럽지 아니할까
다만 소원이 적송자(赤松子) 좇아 길이 놀까 하노라

茅第新設小溪邊
對月靑山坐悠然
客來莫說人間事
但願平生奉四仙

수 칸을 소계변(小溪邊)에 새로 짓고 산월(山月) 보니
손님은 오시어서 인간사를 말 마시오
다만 소원이 상산사호를 좇아갈까 하노라

꿈은 꿈이었지 속세를 놓지 못하셨다. 절식복약(節食服藥)을 신조로 하셨고, 인간은 백이십 살이 원래 수명이라 하시더니 여든을 사시고 돌아가셨다.

16. 상산사호는 중국 진(秦)나라 시황제 때 산시성(陝西省) 상산(商山)에 들어가 은둔생활을 한 네 사람, 즉 동원공(東園公), 기리계(綺里季), 하황공(夏黃公), 녹리선생(角里先生)을 이른다. 호(皓)는 본래 희다는 뜻으로, 이들 모두 눈썹과 수염이 흰 노인이었으며 신선이 되었다고 전한다.—편자
17. 이 시조는 1959년 1월 11일 일기에 실려 있으며 진해에서 썼다고 적혀 있다. 아마 진해에서 지은 것을 수개월이 지난 후 일기에 적어 넣은 것 같다.—편자

길흉화복(吉凶禍福) 점괘 풀이

아버지께서는 누구한테 배우신 것인지, 어느 때부터인지는 몰라도 노후에는 늘 점을 치셨다.

매일 아침 새벽에 일어나시면 그날 일과로서 골패(骨牌)를 사용해서 그날의 길흉화복을 점치고 점괘(占卦) 풀이를 일기에다 기입하셨다. 흉한 날에는 근신하며 출타를 삼가고, 망설이는 일은 하지 않으셨다. 길한 괘가 떨어지면 동적(動的)으로 활동하셨다. 그러기를 평생껏 하신 것이다. 그에 대한 가치판단이야 어쨌든, 수십 년 동안 꾸준하고 정성스러우셨던 점에 대해서 감탄해 마지않는다.

중년 시절, 어떤 해는 몹시 가물었다. 천수답(天水畓)밖에 없는 나의 고향인지라 제때에 모를 내지 못하여 모든 농민들이 큰 걱정 속에 오래도록 비 오기만 기다리고 있는 중이었다.

어느 날, 우리 아버지께서는 쨍쨍한 볕 속에서 웅덩이의 물을 마른 논에 퍼부으면서 꼬창모를 내고 계셨다. 지나가는 사람들이 괴상하게 생각하여 물었다.

"볕이 쨍쨍한데 모를 내다니 어찌된 셈이오?"

우리 아버지께서는 "해 지기 전에 비가 오겠지요" 하고 대답하신다.

"허, 참 모를 일이군."

그날 오후, 갑자기 검은 구름이 일고 번개와 천둥이 치더니 소낙비가 억수같이 쏟아져 삽시간에 논에 물이 가득 고이더란다. 남들이

"아무개는 참 신통한 사람이야. 그 뙤약볕에 어찌 소나기가 올 줄 알고 미리 꼬창모를 내다니" 하였다는 것이다. 그날 새벽에 그날 일진을 점쳐 보니 오후에 비가 많이 쏟아지는 점괘였기에, 자신을 가지고 꼬창모를 냈더니 과연 점대로 큰 소나기가 쏟아져서 그해 벼농사를 잘 지었다는 것이다.

시골에선 벼농사에 모심을 때가 되면 하루를 다투어서 실기(失期)를 회피하고, 또 가뭄이 장기화했다가 갑자기 비가 오면 너도나도 동시에 모를 내야 하기 때문에 일꾼 얻기도 힘이 든다.

점이 똑부러지게 맞아서 쾌재를 느끼신 체험은 그 외에도 많은 모양이다.

『난중일기(亂中日記)』를 보면 충무공께서도 마음이 아쉬울 때면 점을 치곤 하심이 엿보여 흥미롭다.

손때 묻은 침통(鍼筒)

아버지께서는 평생토록 침을 놓으며 활인적덕하셨다. 내 고향은 예전 시골이라 부근에 의원도 없었으므로, 주로 유아와 청소년들이 침을 맞으려 인근 부락에서 많이 찾아오곤 하였다.

돈은 받으시지 않고, 사례로 담배 한 갑 정도를 놓고 간다. 침의 면허도 필요 없는 예전 시골생활의 한 모습이다.

침을 맞으러 온 아이들 가운데 미리 겁먹고 우는 아이가 있으면 아프지 않다는 시범으로, 나는 병이 없어도 침을 많이 맞았다. 따끔할 따름이고 참을 만했다.

아버지가 돌아가신 후 아버지의 유물이라도 더러 있었으면 하고 뒤늦게 아쉬워하던 차에, 모시고 살던 장손인 나의 조카[18]가 십여 년 후에 아버지가 쓰시던 일기장 한 권[19]과 침통과 벼루를 갖다 주니 아버지 뵌 듯 어찌나 반가운지 모르겠다.

벼루는 내가 물려서 쓰고 있고, 침통은 불단(佛壇) 아래 모셔 두며 아버지 살아생전에 활인적덕하신 공을 기리고 있다. 그 침통 속에 내

---

18. 김익권의 큰형 김일권(金一權, 1904-1948)의 장자인 형준(炯晙, 1931-2007). 김익권의 기록으로 추정컨대, 김용대는 김익권이 중학생 무렵 학리에서 청담리로 집을 옮겼다가, 후에 청담리 집을 둘째아들인 김재권에게 물려주고 다시 학리로 돌아가 살았다. 이때 남에게 넘어갔던 부친 김봉성의 집을 이었다. 육이오 전화(戰火)로 그 집이 소실되자 선정릉의 재실에서 기거하다가, 재실이 문화재로 지정되자 김용대의 거처가 마땅치 않게 되었다. 김익권은 미국 지휘참모대학에 유학하던 때 받은 체재비를 모아 학리의 감나무 밭 근처에 새로 초가를 지어, 결혼한 지 삼 년쯤 된 형준 내외가 김용대 부처를 모시고 살게끔 했다. 김용대의 아내 박용인이 그 집에서 별세했고, 김용대는 그 집 뒷동산에 묘를 마련했다. 후에 김용대는 청담리 김재권의 집으로 거처를 옮겼고, 그곳에서 작고했다.—편자
19. 이 일기장이 발견되어, 일기에 적혀 있는 김용대의 시문(詩文)을 김익권이 정리하여 『우리 아버지』에 실을 수 있었다.—편자

43

가 어려서 많이 맞았고 가장 많이 사용하시던 낯익은 침이 눈에 뜨이
니 매우 인상 깊다.

할아버지와 아버지의 비석(碑石)

나의 어머니가 돌아가셨다. 아버지의 둘째 자부(子婦)의 친척 되는
분으로 명필(名筆) 한 분이 있어 친교가 있었는데, 하루는 아버지께
서 그분한테 비명(碑銘) 원본 글씨 받으신 것을 나한테 가지고 오셨
다. "네 어머니와 나의 비석을 미리 만들어 두었다가 내 사후(死後)에
세우고 싶은데 가능하겠느냐" 하시기에, "그렇게 하시지요" 하고 서
대문 밖 비석 집에 모시고 가서 비석을 맞추고 후일 찾아다가 시골집
에 갖다 놓았다. 어머니 돌아가신 지 삼 년쯤 되어 아버지가 작고하시
니 장렛날 손쉽게 부모님의 비석을 세워 드렸다.

아버지가 살아계실 때의 일이다. 나의 사촌형 한 분이 충남 논산(論
山)에 살고 있었는데, 우리 아버지를 퍽 존경하고 따랐다. 한때 상경
하여 숙부인 우리 아버지를 뵈러 왔다가 비석을 미리 해다 두었다는
말씀을 듣고 "할아버지 비석은 아니 세우시고 작은아버지(우리 아버
지) 비석을 먼저 해다 놓으셨어요?" 하고 직언을 했다. 효(孝)를 남달
리 소중히 생각하시는 분으로서 변명의 여지가 없으실 정도로 마음에
걸리신 것 같다.

당신의 재력(財力)은 없으시고, 돌아가시기 전에 나한테 "할아버
지 비석을 세워 드리지 못한 게 유한이다" 하신다.

"걱정 마세요, 때가 오면 제가 해 올리지요" 했다. 아버지 돌아가신
지 십 년쯤 지나서 겨우 할아버지의 비석을 세워 드려 아버지의 유언
을 실천해 올리니 나의 마음이 홀가분하였다.

되찾은 옥(玉) 물부리

우리 아버지는 담배를 즐기셨다. 내가 어릴 적부터 본 바로는 집에 계실 때에는 기다란 담뱃대로 쌈지 담배를 피우셨는데, 그 끝에 누런빛 물부리가 달려 있었다.

그러나 노후에는 집에서도 그 물부리를 담뱃대에서 뽑아서 궐련 물부리로 사용하시곤 하였다. 한평생 아끼고 지니시는 물건으로, 내가 철이 난 후에야 그것이 중국산 옥 물부리로서 매우 값진 것이며 예전에 아버지께서 황소 한 마리 값을 주고 사신 것을 알게 되었다.

그런데 어느 날 그것이 온데간데없어졌다. 무척 서운하였을 것으로 안다. 그러던 중 몇 해 후에 이웃 부락에 사는 모모(某某)의 손에 가 있는 것이 아버지 눈에 띄어 그 물부리는 주인을 찾아 아버지 손으로 되돌아왔다. 그때 아버지의 기쁨은 어떠했을지 짐작이 간다.

"내 평생에 남의 물건을 탐낸 바 없는데 돌아올 날이 오겠지 하고 잊어버리고 있었는데 과연 천우신조로 이게 몇 해 만에 되돌아오는구나" 하고 말씀하신다.

돌아가신 후에 또 누구 손으로 돌아갔는지 모르겠다.

『비서삼종(秘書三種)』

예전의 선비들은 수신제가치국평천하(修身齊家治國平天下)를 이상
(理想)으로 하는 정상적인 학문—우리나라에서는 주로 주자학(朱子
學)—을 어려서 익힌다. 그러는 가운데도 간혹 인격의 수양과 치국의
경륜을 쌓기 위한 비서(秘書) 같은 것이 은밀히 전해져 내려오곤 했
다. 우리나라의 『정감록(鄭鑑錄)』 같은 것도 일종의 비서에 속한다고
보겠다. 조선시대에 내놓고 볼 수 없는 책이어서 그러했는지, 또는 철
없는 경박한 사람들이 보아서는 해로운 것이라서 그랬는지는 모르겠
다. 나도 중학 시절엔가 장롱 속에 간직된 『정감록』을 몰래 들추어 본
기억이 어렴풋이 난다.

아버지께서 일흔네 살의 고령으로 계실 때 어떤 선비로부터 『비서
삼종』이란 책을 빌리셨다. 내용인즉, 중국의 옛 문헌으로 『황석공소
서(黃石公素書)』와 『황제음부경(黃帝陰符經)』과 『제갈량심서(諸葛亮
心書)』 세 가지를 합친 한자로 된 책이다. 한글로 토(吐)가 붙어 있다.

아버지께서는 여러 달을 걸려서 한 해 겨울 내내 모필(毛筆)로 이것
을 베끼셨다. 이듬해에 이것을 완성해서 책을 만들고 표지 뒤에 "鶴山
七十五歲 揮(학산이 칠십오세에 썼노라)" 하고 기입해 놓으셨다. 자
디잔 글씨로 퍽 공이 드셨고, 더군다나 한쪽 눈만이 성하신데 그 연세
에 끈질긴 그 성품에 감탄할 수밖에 없다.

이 『비서삼종』 가운데 『황석공소서』와 『황제음부경』은 매일 새벽
에 일어나면 줄줄 읽으시고 나중에는 다 외우셨다. 백독천독(百讀千

讀)하면 외워지는 모양이다.

　『황석공소서』는 중국 한(漢)나라를 창건한 고조(高祖) 유방〔劉邦, 한패공(漢沛公)〕을 도와서 천하를 통일하게 한 모사(謀士) 장량(張良)이 젊었을 때 이교(圯橋)라는 다리에서 황석공이라는 신선(神仙)에게 전수받은 수양서(修養書)라고 전해 내려오는 책〔비서(秘書)〕이다. 그 중에 좋은 구절이 많은데, "苦莫苦於多願이요 吉莫吉於知足이라(원하는 것이 많은 것보다 더한 괴로움은 없고, 족함을 아는 것보다 더한 길함은 없다)"는 구절 같은 것은 한글밖에는 별로 글을 모르시는 어머니께서도 귀에 익어 외우실 정도였다. 한때는 나에게 이런 내용도 일러 주셨다.

　현인군자는 천하가 융성하느냐 쇠퇴하느냐의 도(道)에 밝고, 사물의 성공하느냐 실패하느냐의 분수(分數)에 통달하고, 나라의 대세(大勢)가 평화로울 거냐 소란스러울 거냐를 살필 줄 알고, 벼슬길에 나아갈 거냐 물러설 거냐의 이치에 달관하느니라. 따라서 야(野)에 파묻혀 숨어서 도를 지니면서 써 때를 기다려 만약 때가 다다라서 나아가 일을 하면 능히 신하로서 최고의 출세를 하는 것이고, 기틀을 얻어서 동(動)한즉 절대적인 공을 이루나니, 만약 그러한 때를 만나지 못하면 한 몸 늙어서 죽을 따름이다. 그러므로 군자의 도는 족히 높고 이름은 먼 후대에까지 무거우니라.(賢人君子 明於盛衰之道 通乎成敗之數 審乎治亂之勢 達乎去就之理 故潛居抱道 以待其時 若時至而行則 能極人臣之位 得機而動則 能成絶對之功 如其不遇 歿身而已 是以 其道足高而名重於後代)

이 구절은 나의 인생관을 빚는 데 큰 영향을 끼쳤다고 본다. 정치를 하는 위정자들이나 국민의 지도자적 위치에 있는 사람들이 거울삼을 만한 글이다. 공자(孔子)가 『논어(論語)』속에서 "나라에서 써 주면 나아가 일하고 버리면 숨어 산다(用則行 舍則藏)"하신 말씀이나 충무공(忠武公)께서 "나라에서 써 주면 죽음으로써 효도와 충성을 다하고, 안 써 주면 시골에서 밭갈이하는 것으로 족하다(用則以死孝忠 不用則耕野足矣)"라고 말씀하신 인생관과 상통하는 바가 있다.

나는 아버지께서 살아계시는 동안에 "이 책은 저 주세요" 하였던 바, 쾌히 허락하시어 유물로서 물려받았다.

국은 싱겁게, 김은 짜게

우리 집은 농촌 출신이라 대대로 국을 잘 끓이는 집안이다. 시골에서는 서울 살림과 달리 끼니때마다 무엇으로 반찬을 당하랴. 아침저녁 빼놓지 않고 김칫국 · 우거짓국 · 감잣국 · 호박국 · 오이국 등을 한 솥씩 끓인다.

그런데 일꾼까지 포함해서 여럿이 먹자니 국물을 많이 잡아서 심심하게 끓인다. 그 국에다 밥을 말아서 훌훌 마셔야 배가 부듯하고 밥을 먹은 듯하다. 모든 것이 규모있는 시골 살림에서 온 가풍일 게다.

인간사회는 사람마다 식성이 다르고, 가정마다 싱겁게 먹는 집, 또는 짜게 먹는 집, 맵게 먹는 집 등 여러 가지 특성이 있다. 며느리로 들어오는 사람은 우리 집의 가풍과 다른 집에서 오게 마련이다. 시집와서 부엌에 드나들며 음식을 만들기 시작할 때 국이 짜면 아버지께서는 싱겁게 국물을 많이 잡으라고 타이르신다. 싱거운 것은 간장을 쳐서 고칠 수 있어도 짠 것은 고칠 수 없다는 말씀이다. 옳은 말씀이다. 며느리가 명심하다가도 간혹 실수를 해서 국이 짜면, 국솥에 다시 갖다 물을 붓고 심심하게 끓여 오라고 하시는 일까지 있다. 그러면서 하시는 말씀이 "국을 짜게 끓이는 사람은 뒤가 없는 사람이야. 짠 국은 고칠 수 없는 노릇 아니냐" 하신다. 뼈저린 말씀이다. 마음의 충격을 받은 며느리들은 다시는 국을 짜게 끓이지 않는다.

이와 반대로 어쩌다 김을 구울 때면 소금을 많이 뿌려 짜게 구워 가지고 조그맣게 썰어 놓아야 한다. 소금을 허옇게 뿌려야 한다. 이유인즉, 김은 맛으로 먹는 게 아니라 여러 식구가 나누어 먹자니 짭짤하게 구워 조그맣게 썰어서 먹는 것이다.

　우리 집 조상님들은 대대로 이렇게 규모있는 농촌생활을 영위하면서 재산을 모으셨던 것 같다. 그러는 동안에 이것이 가풍이 되어 버린 듯하다.

산 밑도, 물가도 아닌 곳을 택하라 — 非山非野

나의 고향은 산도 아니요 강가도 아닌 곳이었다. 주위 세 방향은 야산이고 한쪽이 트인 논을 이루고 있는 삼태기 같은 곳으로서, 장마 때에는 아랫자락 평야에 한강물이 들어와서 덮이곤 했다.

아버지께서는 쉰다섯쯤 되실 때에 한강 나루터(현재 서울시 강남구 청담동)에 살림집을 마련하고 기와 공장을 경영하신 때가 있었다. 장마 때에는 집 주위에 물이 드는데, 집터 있는 부근이 약간 높은 자리라 며칠간 섬처럼 된다.

아버지께서는 풍류를 좋아하시는 분이다. 그곳을 월조도(月釣島, 달 아래 낚시질하는 섬)라 명명하고 편지 겉봉에도 '월조도 아무개'라 쓰곤 하셨다. 당신께서 낚시질하시는 것은 한번도 못 봤다.

한여름에 물이 크게 나서 집안 마당까지 강물이 쳐들어왔다. 내가 중학 시절이었는데, 집안 식구는 배를 타고 며칠 동안 피신을 해야 했다. 무서운 물난리를 겪은 것이다. 한때 경제를 위해서 사업상 그곳에 집을 지은 것이고, 또 둘째아들 분가를 위해서 그렇게 하신 것이었으나, 물가에서 오래 살 것은 못 된다고 말씀하셨다. 아버지 돌아가신 다음에 몇 해 있다 중형(仲兄)은 그 집을 팔고 이사했다.

자손대대의 안전을 위해서 집을 짓고 살 곳은 가파른 산 밑도 아니요 물가도 아닌, 비산비야를 택하라고 경계하신 것이다. 산 밑은 장마 때 산사태가 무섭고, 강가나 냇가는 홍수가 무섭고 또 자손 가운데 물에 빠져 죽는 재앙이 있을 수 있기 때문이다.

자식을 위한 기도

어느 부모치고 자식이 인생 시련을 겪고 있을 때 자식의 무사안전과 성공을 기원치 않으련만, 나의 아버지는 끈질긴 기도를 드리신 분이었다.

내가 알기로는 내가 청소년 시절에 오년제 중학을 졸업하고, 경성제국대학 예과 입학시험을 치를 때부터 아버지의 기도가 시작된 것 같다. 중학을 마치고 첫해엔 낙방을 하고 권토중래(捲土重來)의 각오로 일 년을 재수 끝에 입시에 성공하였다. 그 일 년 동안 나 자신도 "남아입지출향관(男兒立志出鄕關)"하여 학약불성(學若不成)이면 사(死)라도 불환(不還)이라" 하는 고인(古人)의 말을 명심하여, 성공하기 전에는 부모님을 대하지 않으리라는 결심으로 일 년 동안 고향을 찾지 않고 열심히 공부하였다. 대학이라곤 이 땅에 하나밖에 없는 데다, 지금과 같은 대량 모집도 아니고 그나마 대부분 일본 사람들을 입학시켜 우리들에겐 더욱 좁은 문이었다. 식민지 백성에 대한 차별 대우요, 고등교육의 제한정책이었던 것이다.

그 당시 아버지는 한강 나룻터 부근에 집을 짓고 기와 공장을 경영하고 계셨다. 공장엔 필수적인 것으로 큰 황소 한 마리가 있다. 한옥 기와의 원료인 차진 흙을 실어 오고 밟아서 반죽하는데, 소 없이는 일이 안 된다. 늦가을부터 이듬해 봄까지 기와 공장도 쉬고 황소도 쉰다. 그 큰 황소의 여물(쇠죽)을 매일 새벽에 몇 시간씩 큰 가마솥에 끓여야 한다. 아버지는 쇠죽을 쑤는 동안 불을 때면서 쇠죽이 끓을 때까지 '관세음보살'을 부르며 한해 겨울 내내 자식의 입시 성공을 위해 염불하셨다.

내가 합격의 방(榜)을 보고 명단이 실린 신문을 가지고 부모님을 뵈오려 고향에 들러 아버지 앞에 큰절을 하고 합격을 고하니, 아버지께서 기뻐하시며 "네가 기쁜 소식 가지고 올 줄 알았다. 어젯밤 꿈에 머리에 흰 갓을 쓰고 하얀 옷을 입은 노인 한 분이 나한테 와서 두루마리 같은 것을 건네주지 않겠니. 오늘 네가 신문을 갖다 보여 주는구나" 하신다.

후일에 이런 사유를 절의 주지되시는 분한테 얘기해보니 그 주지 말씀이 "흰 갓 쓰고 흰 옷 입은 노인이 바로 관세음보살이지요" 하시더라고….

대학 재학 중에 제이차세계대전이 한창으로, 일본은 인적 자원이 딸리므로 우리 한국인까지도 전문대학생을 전지(戰地)로 몰아냈다. 생환(生還)을 기약할 수도 없는지라, 아버님 말씀이 "사지(死地)에서 어려움이 닥치더라도 '대자대비구고구난 성모관세음보살(大慈大悲救苦救難 聖母觀世音菩薩)' 하고 염불하면 생명을 보존할 수 있다고 절의 주지가 가르쳐 주더라. 그대로 실행하라" 하신다.

나는 북지(北支) 벌판 전지에서 총알이 빗발 쏟아지듯 할 땐 열심히 외웠다. 덕분에 해방을 맞아 사지에서 살아 돌아왔는지도 모르겠다. 아버지께서도 보나마나 내가 살아 돌아올 때까지 염불하신 줄 안다.

해방 후 대학을 마치고 육사를 거쳐 우리나라 군대에 투신하여 직업군인 장교가 되었는데, 육이오 동란이 발발하여 전지에 서게 되었다. 동란이 끝날 때까지 아버지는 나를 위해 염불하셨다. 고마우신 분이다. 오늘까지 내가 인생의 어려운 고비를 넘기고 살아 있는 것도 부모님의 기도와 염불의 공덕으로 안다. 나도 또한 자식을 기르는 몸이 되니, 부모님이 하시듯이, 내 자식을 위해서 염불하고 기도하게 되었다.

아내를 위한 만장(輓章)

서구 사람들 시에 만가(輓歌)라는 것이 있듯이, 우리네 풍습에도 옛 선비들이 행세깨나 하는 집에서는 상(喪)을 치를 때 한시로 만시(輓詩)를 지어 붉은 천에 써서 기다랗게 늘여 상여 앞에 달게 한다. 이것을 만장이라 한다.

어머니께서 아버지보다 삼 년 앞서 돌아가셨다. 결혼하신 지 육십일 년 동안 동고동락(同苦同樂)하시던 짝을 잃은 슬픔을 만시에 부쳐 달래시었다고나 할까. 아버지께서는 당신 아내의 상을 당해 스스로 만장을 만드셨다. 남겨 놓으신 일기장 속에도 그 구절이 적혀 있다. 그 내용인즉 이러하다.

喜怒哀樂人間事
雲來雲去一場天
六十一年苦樂情
今夜空房寢牀鳴

그 의미인즉 이러하다.

한평생 살다 보니 그 많은 희로애락, 기쁠 때도 있었고 화낼 때도 있었고 슬플 때도 즐거울 때도 있었거니
이제와 보니 구름 끼었다 걷혔다 해도 그 하늘이 그 하늘인 것을

육십일 년 동안 동고동락하던 정을 되새기니

아, 그대 없는 오늘밤은 잠자리에 홀로 슬피 울겠구려.

아버지는 어머니를 무척 사랑하시면서도 때로는 말다툼도 없지 않
으셨다. 어머니는 아버지를 극진히 섬기셨다. 아버지는 동양인의 멋
을 지니신 분이다.

회갑잔치 대신 떠난 금강산(金剛山) 여행

제이차세계대전이 한창일 때였다. 아버지 회갑이 다가왔다. 나는 막내아들이라 아직 연소한 대학생이지만, 두 형은 장성하여 부모님 회갑엔 지장 없을 정도로 경제력이 있었다. 어머니의 회갑은 이 년 전 시골 풍속대로 치렀다. 아버지의 회갑도 전시하(戰時下)이지만 시속(時俗) 따라 잔치를 베푸심 직하였다.

그런데 아버지께서 회갑 잔치를 만류하신다. 그때의 시골 풍속으로서는 도저히 생각할 수 없는 일이다. 아버지 말씀이 "잔치 차려 줄 돈이 있거든 그것으로 네 어머니와 같이 금강산 구경이나 하고 오겠다" 하시는 것이다.

천하제일 금강산! 살아생전에 금강산 구경 한번 하는 것도 우리 선인(先人)들의 소원이었을 것이다. 그러나 돈이 드는 노릇이며, 그 당시 시골 노인으로서는 엄두도 못 내는 노릇이다. 그러하니 이런 때 자식들이 보태 주는 가욋돈으로 노부부 동반해서 평생소원을 푸시기 위하여 생신날을 앞에 둔 가을날 훌쩍 여행을 떠나신 것이다.

한 십여 일 동안 내금강(內金剛), 외금강(外金剛), 그리고 해금강(海金剛) 등을 차근차근 돌아보시고, 이름 있는 절에 들러 예불(禮佛)하시고, 그 높은 비로봉(毘盧峰) 정상까지 휘돌아보신 것이다. 얼마나 멋있는 여행이었을는지 지금 생각해 봐도 부러울 지경이다.

요새는 우리네 평균 수명도 늘었고 또 근대화의 영향으로 예순 살 회갑 잔치 대신에 부부 동반한 여행을 택하는 사람도 상류계층에서는 볼 수 있지만, 예전 사람으로서 우리 아버지는 남달리 근대적인 사고 방식을 가지셨다. 물론 전시 중이라 시골에서 돼지 한 마리 잡는 데도 일정치하의 경제경찰(經濟警察)의 눈이 두려운 상황을 고려해서 자식에게 누를 끼칠까 봐 미리 예방하시는 뜻도 무언중에 있었을 줄 안다.

한편, 이런 멋있는 남편을 가진 어머니의 행복감이 얼마나 했으랴.

족보(族譜) 한 궤짝

우리 집엔 내가 어렸을 때부터 족보 한 궤짝이 있었다. 이 족보는 우리 아버지의 평생사업 중의 하나이다. 우리 집안의 옛 조상들은 당당한 선비의 집안이었지만, 세조(世祖)가 수양대군(首陽大君)으로서 조카인 단종(端宗)의 왕위를 찬탈하게 되자 왕위를 복위하고자 사육신(死六臣)과 더불어 모사(謀事)하다 실패하여 함께 순절한 김문기〔金文起, 호는 백촌(白村)〕공의 후예로서 국내 도처에 흩어져 숨어살게 되었다.

근세에 이르기까지 벼슬은 물론이요 자기 조상의 내력을 남 앞에 떳떳이 밝히지 못하였던 것 같다. 그래서 그런지 나의 칠대조부터 증조에 이르기까지 산소는 있지만 아무 벼슬도 없는 농사꾼이었고, 나의 조부 때 비로소 무장(武將) 노릇을 하신 집안이다.[20]

성은 김(金)이요, 본은 김해(金海)였다. 그러나 김해김씨(金海金氏)에는 선김(先金)과 후김(後金)이 있어, 선김은 가락국(伽洛國, 지금의 경남 김해 땅) 시조인 수로왕(首露王)의 후손이요, 후김은 신라 경순왕(敬順王)의 후예인바, 우리 집안은 후김 김해김씨라는 것을 우리 아버지 대에 와서 알게 되었다. 그 전까지는 선김 김해김씨인 줄

---

20. 족보에 따르면, 김익권의 증조부 김치영(金致英)은 동지중추부사 겸 오위장을 역임했고, 그의 두 아우 김치석(金致錫)과 김치성(金致成)은 각각 절충장군부사과(折衝將軍副司果)와 광주군 중군(中軍)에 복무하였다. 김익권의 고조부 김덕록(金德祿)은 가선대부, 한성부좌윤에 증해졌고, 오대조 김흥대(金興大)는 통정대부(通政大夫) 공조참의(工曹參議)에 증해졌다. 이 글을 쓸 당시 김익권은 구전(口傳)에 의한 단편적 정보에 근거했던 것으로 보인다. —편자

알고 아버지의 아명(兒名)도, 그리고 나의 형들의 아명도 선김 김해의 항렬(行列)을 따랐다. 그러던 것을 아버지께서 우리 가문의 혈통의 원류를 바로 찾아 당신과 당신 자식은 물론, 동리 친척들의 이름까지 후김 김해김씨—근세에 김녕김씨(金寧金氏)라고 개칭하게 되었다—의 항렬로 개명하게 되었다. 사연인즉 이러하다.

일정 때에는 봄 가을로 경찰 당국에서 날을 정해 대청소를 시키고 순경(巡警)이 확인 감독을 나오게 마련이었다. 그런데 어느 한때, 아버지의 장조카 되시는 분〔종손(宗孫)〕이 나의 증조부님이 지으신, 동리에서 제일 큰 기와집에서 살고 있었는데, 대들보 위 시렁에 먼지가 많아서 '대청소 불량'이란 이유로 일본 순사부장한테 뺨을 맞았다는 것이다. 아버지께서 이 이야기를 들으시고 원통하고 분해서 대들보 위의 시렁을 내려놓고 그 속에 있는 고서(古書)를 쓸 것, 못 쓸 것 분류하고 있노라니 가승(家乘)이 튀어나온 것이다. 가승이란 대대로 항렬 돌림자를 표시한 것이다. 아버지는 자기 이름의 항렬과도 다르니 이상히 여겨 필유곡절(必有曲折)이다 하시고, 누구에게 물어 볼 사람도 없고 하여 강화도(江華島)에 사는 먼 친척 아저씨뻘 되는 유식한 분—나의 칠대 방조(傍祖)의 후예들이 강화에 살고 있었다—을 찾아갔더니, 그 가승이 옳은 것이며, 우리 집안이 후김 김해김씨 즉 김녕김씨라는 것이다. 강화에서는 여러 해 전에 김녕김씨 족보를 만드는데 참여했는데 우리는 거기에서 빠졌다는 것이다. 우리는 당당히 충신열사(忠臣烈士)의 후예인데, 족보조차 없고 남의 혈통의 항렬을 쓰고 있다니 아버지께서는 무척 부끄러이 생각하셨다.

충북 옥천(沃川, 김문기 공의 출생지)으로 먼 친척을 찾아보고 대구(大邱)로 대종손(大宗孫)을 찾아서 족보 제작을 위한 보소(譜所)를 앉히자고 졸라댔다. 돈이 없다면 돈을 내겠노라고까지 해서 문중(門中)을 규합해서 족보를 만들게 된 것이다.

내 나이 두서너 살 때의 일이니 그때 돈으로 몇백 원이란 막대한 돈을 족보 꾸며 오는 데 투입하셨다. 사람으로서 자기 혈통을 바로 찾는다는 것은 문화인으로서 매우 중요한 사업으로 안다. 우리 아버지가 아니었다면, 그 후손들이나 일가(一家) 문중이 자기 조상의 뿌리를 못 찾고 긍지도 가질 수 없었을 것이다. 우리에게 중시조(中始祖) 역할을 해주신 거나 다름없다고 고맙게 생각한다.

가뿟하게 숟가락을 놓거라 — 可一匙不如減一匙

어려서부터 가끔 식사 때 "가일시는 불여감일시니라(한 숟가락 더 하
는 것이 한 숟가락 덜 하는 것만 못하다)"라는 말씀을 자주 들었다.
한 숟가락 더 했으면 하고 생각들 때 가뿟하게 숟가락을 놓으라는 것
이다.

시골서 자라는 소년들에겐 영양도 부족한지라 양으로 배를 채우게
마련이다.

여름에 발가벗은 아이들을 보면 배가 튀어나온 꼴이 임신부 같기도
하고, 나중에 학교에 다닐 때 지리 시간에 그림으로 본 아프리카의 어
느 종족의 배 같기도 하다. 이렇게 불어난 배로 성년이 되면 속병들을
많이 앓고 단명(短命)해지는 것이다.

어려서는 누구나 입이 달다. 예전에 시골에서는 주전부리라곤 드물
었다. 하루 세 때 밥이 고작이다. 실컷 배부르게 먹고 싶다. 네댓 살
시절 밥을 먹고 나면 종종 아버지께서 나의 배에 손을 대고 검사해 주
시던 기억이 난다. 자녀를 기르심에 세심한 주의를 기울이신 것이다.

나이 예순이 되면 대개의 경우 뱃가죽이 축 늘어지는 사람이 많은
데, 나의 경우 그것을 면한 것은 아버지의 교훈 덕분일는지….

생일잔치의 의미

자기가 제 생일을 성대하게 차려 먹는 사람들도 있다. 우리 아버지의 생일 철학은 다르다. "생일이란 부모가 살아 계실 때는 '나를 낳고 기르시느라고 고생 많이 하셨습니다' 하는 뜻에서 장성한 자식이 자기 난 날 부모님을 위해서 차려 올리는 것이므로, 부모 돌아가신 후엔 자축(自祝) 생일잔치를 크게 할 것이 아니고, 자손들이 장성해서는 부모님 나신 날을 축하하는 뜻에서 차려 올리는 것이다" 이런 말씀을 들었다.

일상생활 속의 제반 행사에서 최고의 도덕인 효(孝)에 가치기준을 둔 옛분의 사고방식으로는 당연한 말씀이다. 우리 형제들은 모두 어려서 소박한 생일을 지냈고 손자녀(孫子女)들도 성대한 생일을 가져 보지 못했다. 어려서 복(福)을 지나치게 받으면 늙어서 받을 복이 줄어든다는 말씀이시다.

자손이 되어 노인 생일잔치는 재정상 분에 맞게 정성껏 해 올려야 한다. 고락(苦樂)에 찬 한평생의 활동과 사업을 모두 마치고 여생을 보내는 노인에게, 자손들의 정성스런 공경은 얼마나 흐뭇할 것이겠는가.

한때는 고향에서 일흔다섯의 생신날 이런 시조를 읊으신 것이 아버지 일기장 속에 실려 있다.[21]

21. 생신날 고향인 광주 학리에서 친족, 귀객을 맞아 즉흥하신 것이다.

이때가 어느 때뇨 팔월이라 초사일(初四日)에

원근(遠近) 친척 벗님네들 모두 다 모이시니

동자야 박주산채(薄酒山菜)런들 가득가득 부어라

울지 않는 거문고

내가 어려서 어느 때부터인가 사랑방 벽에 거문고가 걸려졌다. 어디선지 아버지가 구해 오신 것이다. 새것도 아니요, 너무 헌것도 아니요, 길이 매끈하게 들어 있다. 손으로 퉁기면 둥둥 소리가 은은하였다. 물론 일부러 사 오신 것으로는 생각되질 않았지만, 내가 너무 어렸기 때문에 어디서 구해 오셨느냐고 여쭈어 볼 수도 없었고, 아버지께서도 그 유래를 말씀하신 적도 없었다. 또 아버지께서는 그 거문고를 뜯으시는 일도 없고, 그것을 배우려고 하시는 바도 없다. 다만 걸어 놓고 계실 뿐이다.

이제 와서 생각하니 불교의 선종(禪宗)에서 말하는 무현금(無絃琴)이랄까, 울리지 않는 거문고였다. 그래도 그것을 아끼셨고, 소박한 사랑방이지만 거문고가 퍽 어울려 보였다. 아버지께서는 그 거문고를 걸어 놓음으로써 마음의 풍류를 삼으신 것 같다. 그러던 거문고가 육이오 동란 때 집과 함께 불타 버렸다. 아버지께서 무척 서운하셨으리라.

아버지가 작고하신 지 근 이십 년이 되는 어느 해 겨울, 우연히 강남구 역삼동에서 젊은 신사[22]와 인사를 나누게 되었는데, 그 사람은 나를 이미 알고 있는 사람으로, 그 사람의 조부와 부친께서 우리 아버지와 세교(世交)가 있었던 절친한 사이라는 것을 알게 되었다. 그 사람 입에서, 우리 집 사랑방에 걸려 있던 거문고가 바로 자기 아버님께서 드린 것이라는 말을 들었다. 나는 놀라지 않을 수 없었다. 그 거문고는 이미 없어졌지만, 그 거문고를 대한 듯이 반가웠다. 그 사람의 방조(傍祖) 되시는 분이 조선 말의 개화파(開化派) 수령이었던 김홍집(金弘集) 대감(大監)이시다. 거문고를 다정한 사람에게 줄 만한 선비의 집안이다.

나는 우리 아버지를 대신해서 그 정의(情誼)를 길이 간직할 것을 결심하였다.

---

22. 강남구의회 초대의장을 지낸 김왕경(金汪經). 그의 집안은 강남구 도곡동(道谷洞)에 백 년 동안 살아왔다고 한다. 그는 숙종의 계비 인원왕후(仁元王后)의 부친인 경은부원군(慶恩府院君) 김주신(金柱臣)의 구세손으로, 그의 큰할아버지인 김교헌(金敎獻)은 대종교(大倧敎) 2대 무원종사(茂園宗師)이다. 김교헌은 숙종에게서 하사받아 대대로 살고 있던, 현재 조계사(曹溪寺) 자리에 위치한 삼백사십 칸의 집을 팔아 독립운동 자금을 마련하여 만주로 이주하였는데, 그에 따라 그의 막내동생인 김왕경의 조부가 문중의 묘막(墓幕)이 있던 도곡동에 옮겨 와 살게 되었다고 한다. 도곡동에서 창씨개명도 하지 않고 농사로 어렵게 가계를 이어 갈 때 김용대와 김왕경의 집안과는 친히 지냈다고 한다.—편자

귀곡성(鬼哭聲)이 들리는구나

1943년 11월이었다. 내가 경성대학(京城大學) 법과(法科) 일학년 때이다. 제이차세계대전이 발발한 뒤 승승장구하던 일본군이 미군의 반격에 몰려 전세(戰勢)가 역전하기 시작하던 때라, 일정(日政) 당국은 대학과 전문학교에 적을 둔 한국인 인문계(人文系) 학도들까지, 학도지원병(學徒志願兵)이란 미명하에 강제와 억압으로 그들을 군대에 입대시켜 전지(戰地)로 몰아냈다.

우리들은 내 나라 내 겨레를 위한 전쟁이라면 누가 주저하랴마는 일본을 위해서 그들 군대에 입대하여 전쟁터로 끌려 나간다는 것에 대의명분(大義名分)을 찾을 수 없었으므로, 막다른 골목에 몰린 쥐 모양 당황하고 고민하였다.

전세는 이미 일본에게 불리하게 기울어 감을 짐작할 수 있는 식견이 있었으므로, 한 이삼 년만 기다리면 일본의 패망과 민족의 해방이 오리라 믿었다. 그날이 오기까지 도피해서 숨어 살리라 결심하고, 친구 되는 두 사람에게만 내일부터 보이지 않거든 어디로 도피한 줄로 알라고 말하고 작별했다.

미리 준비해 두었던 지도(地圖)로 연구한 끝에 인구가 제일 희박하고 도로망에서 제일 떨어진 절을 골랐다. 오대산(五臺山) 월정사(月精寺) 표기가 눈에 띄었다. '옳지! 이곳에서 이삼 년 동안 불목하니(절에서 물 긷고 불 지펴 주고 밥 지어 주는 사람) 노릇이라도 해야겠다.' 이렇게 결심하고 그곳으로 가는 노상계획(路上計劃)을 수립했다. 노비(路費)는 형한테 등록금 한 학기분 탄 것 사십 원이 수중에 있으니 다행이었다.

마지막으로 부모님 얼굴이나 뵙고 몰래 떠나려고 고향(시골)에 들렀다. 부모님을 뵙고 밤에 되돌아 서울로 와서 몰래 —부모님한테도 어디로 간다는 말 없이— 야간열차로 떠날 예정이었다. 학도지원병이란 명목으로 일본 군대에 강압적으로 지원하지 않을 수 없게 된 정세를 말씀드리니 "회피할 도리는 없느냐" 하고 물으신다.

"도저히 회피할 길이 없는 것 같습니다" 하니, "정 회피할 수 없다면 그것이 우리의 운명이니 어찌하겠느냐. 남들보다 빨리 지원할 것은 없고, 대세(大勢)로 봐서 남들이 하거든 너도 할 수 없지 않겠느냐" 하신다.

또 "전지에 나가게 되더라도 살 사람은 살게 마련 아니겠느냐"라고도 말씀하신다. 나는 아버지의 뜻이 그러하시더라도 도피의 길을 택하고, 그날 밤중에 도망가려 했다.

아버지께서 변소에 가신다. 노인은 뒤보는 시간이 긴 법이다. 그 동안 이 궁리 저 궁리 하게 마련이니까. 한참 있다 방으로 돌아오시더니, "귀곡성이 들리는구나!" 하고 말씀하신다.

"귀곡성이 뭐예요" 하니, "귀신이 우는 소리가 들리는구나. 오늘밤에 동리에 무슨 변이라도 일어나겠구나" 하신다. 나는 가슴이 철렁했다. 아버지한테 숨기고 있는 도망갈 결심을 아버지께서 이심전심(以心傳心)으로 아시는 것 같기만 하다. 그래서 밤중 사이로 도망가려던 생각을 걷어치우고, 하룻밤 자고 내일 의젓이 떠나기로 했다.

그날 밤 부모님 잠드신 사이에 살짝 일어나서 아버지 책 갈피에다 "불효자식은 몇 해 동안 숨어 살다 나오겠사오니 그때까지 안녕하십시오"라고 써 놓고 다시 잤다.

그 다음날 아침에 부모님과 식사한 후, 평소대로 작별 인사하고 그 길로 강원도 오대산 월정사로 향했다. 원주(原州)까지 기차로, 횡성(橫城)까지 버스로, 거기서부터는 걸어서 도중에 두 밤 자고 삼 일 만에 오대산 월정사에 당도했다.

험준한 산줄기와 계곡의 원시림(原始林)을 넘어서 외로운 길을 아픈 다리를 끌며 하루에 백 리 폭은 걸었다. 출생 후 가장 고된 강행군이었다. 때로는 눈물이 줄줄 흘러 볼을 적시었다. 몇 백 년씩 자란 원시림이 우거지고 쓰러지고 한 으슥한 곳에서는 호랑이라도 나옴 직한 오솔길이었지만 무서운 줄을 몰랐다. 눈물을 머금으면서 "네가 왜 이런 고생을 하느냐" 하고 스스로에게 묻고는, "민족의 해방을 보려고"라고 자문자답하며 자위했다.

오늘날 생각하니 아버지와 얘기를 주고받던 그때가 기억에 또렷또렷한데 이미 사십 년 가까운 세월이 흘러갔다.

함께 쓰는 삼베 수건

내가 어려서 시골집에서 자랄 때에는, 요사이 우리들이 보는, 면(綿)으로 짠 타올(수건)은 흔하지 않았다. 삼베로 큼직하게 만든 수건에 고리를 달아서 대청마루 기둥 못에 걸어 놓고 하나를 가지고 식구들이 함께 썼다.

그것이 대대로 몇 백 년 내려온 가풍(家風)인지 또는 뉘 집이든 그리하는 풍습인지 잘 모르겠다. 다만 우리 집은 그러했고, 그것이 농촌의 검소한 생활방식의 모습이었으리라고 이제 와서 회상되곤 한다.

어떤 때는 아버지께서 이런 얘기를 들려 주셨다. 예전에 어느 시골 아이가 어릴 때 멀리 떨어져 있는 자기 아버지의 친구 집에 와서 하루 묵어가게 되었단다. 아침에 일어나서 세수를 하고 마루에 걸린 베 수건에 얼굴을 닦는데, 수건을 펴서 한쪽 귀퉁이로만 닦고, 닦고 나서 손으로 잘 매만져 펴서 다시 걸어 놓더라는 것이다. 웬만한 아이들 같으면 철없는 어린 나이에 수건을 휙 빼내서 아무 데고 마구 닦은 다음 우글쭈글하거나 말거나 휙 다시 걸어 놓을 법한데, 이 어린이는 손님으로 와서 다른 사람에게 폐를 끼치지 않기 위해서 한쪽 귀퉁이로만 닦고 반반하게 펴서 걸어 놓는 것을 보니, 참으로 어른스러우리만큼 얌전한 태도에 그 집주인 되는 분은 감탄해 마지않았다. "장차 큰 그릇이 되겠구나" 하고 칭찬한 바 있는데, 과연 그 아이가 자라서 큰 벼슬을 하고 대성하더라는 얘기이다.

아마 아버지께서 이런 얘기로써 자손들에게 예의범절과 인품을 교육하신 것 같다. 물건 제자리에 두기, 신발 바로 벗어 놓기 같은 습성 등 어려서부터 배운 점이 많다.

멀쩡한 구두나 운동화의 뒤축을 꺾어서 슬리퍼처럼 한길을 끌고 다니는 요사이 청소년들을 볼 때 그 경박성이 한심스럽다.

돈은 소중히 다뤄야 하느니라

돈은 소중한 것이다. 지폐는 소중히 다루지 않으면 구겨지고 헐어서 찢어지곤 한다.

어느 나라고 그 나라에 통용되는 지폐 상태를 보면 그 민도(民度)를 측정할 수 있다고 본다. 미국엘 가 봐도 일본엘 가 봐도 우리나라 지폐처럼 구겨지고 찢어진 지폐를 보지 못하였다. 지질(紙質) 문제도 있으려니와, 그보다 돈을 돌려 가며 쓰는 사람들의 공덕심(公德心)이 부족한 탓으로 알고 있다.

나는 어려서 보았다. 비록 일정하에서 조선은행(朝鮮銀行)이 발행한 지전(紙錢)이지만 돈은 돈이다. 중요한 지폐인 것이다. 우리 아버지께서는 당신에게 들어온 지전 가운데 찢어진 것은 꼭 종이를 잘라서 붙이고, 구겨진 것은 잘 펴서 다듬곤 하신다. 아버지께서는 "돈은 소중한 것이야. 소중한 것은 소중히 다뤄야만 한다"라고 말씀하신다. 이러한 정성으로 자수성가하신 셈이다.

나도 아버지를 본받아서 내 손에 들어온 돈은 찢어진 것은 물론, 곧 찢어질 것 같은 것은 반드시 테이프로 보수해서 쓰는 습관이 배겼다. 어느 때야 우리나라 지폐도 그 상태가 깨끗해질는지…. 그럴 때가 와야 우리 사회도 살기 좋은 풍토를 이룩할 것으로 안다.

발이 차면 배가 아프고 병이 생긴다

내가 중학교 이학년 시절 한 학기를 아버님이 계신 곳(강가)에서 서울까지 통학(通學)한 일이 있다. 늦가을에서 겨울에 걸쳐서였다. 겨울 추운 날씨가 되면 아버지께서는 늘 방 아랫목에다 종이를 깔고 내 신발을 녹여 주셨다.

신고 나서면 추운 겨울 날씨에도 바닥이 따뜻한 것이 퍽 흐뭇했고, 아버지의 깊은 사랑을 몸으로 느꼈다.

아버지 말씀이 "발이 차면 배가 아프고 병이 생긴다"는 것이다. 또 "여자들은 어려서 발을 차게 굴면 어른이 된 다음에 냉증(冷症)으로 고생을 한다"는 것이다.

나도 성년 이후에 "발이 차면 마음을 상하고, 백성의 원망이 있으면 나라를 상한다(足寒傷心 人怨傷國)"는 내용을 『황석공소서』에서 보았는데, 사람은 발로써 땅을 밟고 직립하는 터라, 겨울에 언 땅 기운으로 발이 차면 온몸이 춥고 마음이 상함을 통감하게 되었다.

예전에 보통학교나 중학교 다닐 때, 추운 겨울날의 조회 시간이나 눈 위에서의 교련 시간에 부동자세로 서 있을 때 발을 동동 구르고 싶었던 마음의 충동이 기억에 생생하다. 어려서 자랄 때 발가락이 벌겋게 붓고 가려워서 애쓰던 생각은 잊혀지질 않는다. 일정 때에는 학생 시절에 그렇게 엄하게 고통스러이 자라나야만 했다.

이런 경험과 아버지의 자식 사랑에 대한 교훈을 본받아서 우리 내외도 자녀들이 학교에 다닐 땐 겨울에 신발을 녹여 주곤 하였다.

내가 군에서 퇴역한 후 한 오 년 동안 남녀공학(男女共學)하는 모(某) 고등학교[23]에서 교장으로 있을 때, 여학생들을 아끼는 마음에서 겨울철에는 털 구두를 신도록 허용한 것도, 깊은 뜻을 아버지한테 배웠기 때문이다.

---

23. 중경고등학교(中京高等學校). 근무지 이동이 많아서 자식 교육에 어려움을 겪고 있는 군인들을 위해, 현역 군인 자녀 교육기관으로 설립된 학교였다.—편자

풍수지관(風水地官)으로 이름이 나고

시골에서 학문이 있고 나이 드신 분들은, 흔히 시골 사람들의 일상생활의 풍습상 필요한 제반사(諸般事)에 선생님 노릇을 한다. 소위 고로(古老)에 속한다고나 할까. 그 지방의 내력, 유래는 물론이요, 사주, 택일, 점 등을 물으러 오면 무슨 보수를 바람도 아니요 정성껏 일러 주신다. 담배 한두 갑 사례로 놓고 가면, 분에 넘치지 않는 예의는 사양치 않으셨다.

아버지께서는 만년에 풍수지관으로 이름이 나셔서 인근 부락에선 초상만 나면 산소 자리 잡아 달라고 모셔 간다. 기꺼이 응하시곤 하였다. 평생토록 무엇이든지 나보다 나은 사람에게서는 필요한 지식을 배우시려 노력하셨고, 또 눈여겨 쌓으신 경험으로 지관 일에는 자신이 있으셨다. 가끔 아들인 나에게도 자랑삼아 얘기하시곤 하였다. 당신 자신이 돌아가신 후에 묻히실 곳도 이왕이면 좋은 자리를 고르시려고 유념도 하셨다.

막상 마나님이 먼저 돌아가셨다. 고향의 사시던 집 뒷동산 아래턱 남향받이에다 묘(墓)를 쓰셨다. 하시는 말씀이, 공연히 집 뒤에 좋은 자리를 두고 먼 곳을 찾아 헤맸노라며 매우 흐뭇해하셨다. 어머니 작고하신 후 삼 년 지나서 아버지도 돌아가셨다. 어머니 무덤에 합장해 올렸다.

칠팔 년이 지나서 고향인 농촌 일대가 서울시에 편입되어 분묘이장령(墳墓移葬令)이 내렸다. 조상님들의 묘를 헐어 화장하여 이천(利

川) 땅에 마련한 종중(宗中) 묘지[24]로 모시고, 끝으로 부모님의 산소를 헐었다. 어찌 된 셈인지 어머님의 유해는 삭았는데, 아버님의 유해는 삭질 않았다. 어찌나 가슴이 아픈지 송구스런 마음으로 깨끗이 화장해서 이천으로 모셨다.

용한 의사도 제병 고치기 어렵다는 속담과 같이, 남의 묘 자리는 잘 봐 주시더니, 당신 산소 자리는 잘못 쓰셨던가 하는 생각이 들었다.

---

24. 경기도 이천시 신둔면 수광리 604번지에 있는 김녕김씨(金寧金氏) 학동종친회(鶴洞宗親會) 공원묘원(公園墓苑). 이곳에는 김익권의 팔대조 김수명(金壽明)으로부터 현재에 이르기까지의 선조들이 모셔져 있다. 김익권도 동작동에 있던 국립묘지에 묻히고 싶다는 뜻을 비친 적도 있었으나, 국립현충원이 대전에 신설된 후에는 가족묘에 묻히겠다고 마음을 바꾸었다. 그리고 별세하기 이십여 년 전부터 화장한 유골 일부를 시곡농장에 묻어 주면 좋겠다고 하여, 유언을 받들어 골분 대부분은 이촌 가족묘에, 일부는 시곡농장에 모셨다.―편자

담배 이야기

아버지는 담배를 좋아하셨다. 내가 어릴 때 집에서는 기다란 장죽(長竹)으로 쌈지 담배를 피우셨고, 출타(出他)하실 때는 궐련을 피우셨다. 나는 어려서 종종 담배 사러 가는 심부름을 하곤 하였다. 만년에는 물부리에 궐련을 끼워서 피우셨다. 내가 미국 유학 갔다 돌아오는 길에 고급 여송연(呂宋煙, cigar)을 한 상자 사다 드리니 퍽 좋아하시던 기억이 난다.

근자에 담배는 몸에 해로운 것으로 알려져 수긍은 가나, 한번 인 박인 사람에게는 세월이 무료할 때 담배는 마음을 달래 주는 벗이 되기도 하리라.

건강이 약한 사람이라면 몰라도 아버지께서는 담배를 즐기시면서도 여든을 사셨으니 당신 수명은 다하신 것으로 본다. 부전자전(父傳子傳)인지 몰라도 나도 담배를 좋아한다.

애연가는 으레 식후에 담배를 피우게 마련이다. 간혹 시골에 들러 아버지와 겸상하여 식사를 마치면, 아버지는 담배를 피우시며 오랜만에 얘기꽃을 피우신다. 나도 담배를 피우고 싶은데 그럴 수도 없고, 아버지 말씀 도중에 일어설 수도 없고 애를 먹으며 참아 왔다.

그러던 중 군의 계급도 대령이 되고, 나이도 장년이 되어서이다. 한때는 오랜만에 고향에 들러 아버지와 식사한 뒤 말씀을 듣다가 용기를 내어 "아버지 앞에서 저도 담배 좀 피우게 해 주세요" 하였더니, "그래라" 하시며 쾌히 허락하시기에 그때부터 아버지 앞에서 담배를 피우기 시작했다. 물론 아버지께서 스스로 먼저 담배를 피우셔야 하고, 그렇지 않을 경우에는 아버지에게 담배를 불붙여 올리고 나서 나도 피우게 된다.

아버지도 오랜만에 만난 아들 데리고 할 얘기도 많으신데, 담배 때문에 자식이 일어서는 것을 안타까이 여기신 모양이다. 나는 퍽 고마웠고, 다른 노인네들보다는 퍽 너그러우신 분임을 실감하였다.

그러시면서 하시는 말씀이 "너, 우리 풍습에 어른 앞에서 연소자(年少者)가 담배 피우지 않게 된 유래를 아니" 하고 물으신다.

"모르겠어요" 하니, 다음과 같은 유래를 들려 주신다.

예전 임진왜란(壬辰倭亂) 때까지는 우리나라에 담배가 없었는데, 왜놈들이 쳐들어올 때 그네들은 담배를 피웠다. 곰방담뱃대로 쌈지 담배를. 그때나 이때나 전쟁터에서 어린 아이들은 적군이든 아군이든 따라다니며 심부름해 주고 밥이나 얻어먹게 마련인데, 왜놈의 무리를 따라다니던 우리나라 아이들이 그들이 피우다 남은 담배 같은 것을 얻어 피우다 보니 인이 박인지라, 칠 년 임진왜란이 끝나고 그들이 돌아간 다음에도 이 어린 사람들이 젊은이로 자라면서 담배를 피우게 되었다는 것이다.

칠 년이란 긴 세월, 경남 해안지대 일각에는 왜군의 근거지가 있었으니 담배나무도 퍼졌을 것으로 짐작이 간다. 젊은이들이 담배를 피우는 것을 노인들이 보면 "요놈들, 왜놈들의 나쁜 버릇을 배워 가지고!" 하고 꾸짖는 바람에 젊은이들은 부랴부랴 곰방대를 감추고 담배를 끄고 도망가는 습관이 박혔다는 것이다. 그래서 나이 어린 사람이 노인이나 어른 앞에서 담배를 아니 피우게 되었다는 말씀이다. 구전(口傳)이지만 논리적인 얘기로서 재미있다.

윗어른 앞에서 윗어른이 피우는 담배를 아랫사람이 피워서 안 될 합리성을 찾아볼 수 없는 노릇이고, 내가 알기로는 세계 어느 나라에도 없는 일 같다. 불합리한 풍습은 어느 땐가 없어질 날이 올 것을 믿고, 군 생활 중에서도 부하들과 자리에 앉아서 얘기할 때에는 일부러 담배를 권하곤 하였다. 또 가정에서 대학에 들어간 자식에게는 내 앞에서 담배 피우는 것을 허락했다.

아버지 살아계실 때 아버지와 둘이 앉아서 말씀을 듣고 있는데, 마을 사람이 왔다. 나는 담배를 끄질 않았다. 그 사람이 돌아간 다음에 아버지 하시는 말씀이 "나하고 단 둘이 있을 땐 괜찮지만, 남이 보는 앞에서는 삼가는 것이 좋지 않겠느냐" 하신다. 나는 '아이고, 실수했구나!' 하는 마음으로 얼굴이 화끈해졌다.

나이 들어 생각하니 역시 주위 사람들에게 공연히 욕먹을 필요는 없는 노릇이고, 이것이 중용(中庸)의 길인 성싶다.

인간의 수명(壽命)

예전엔 시골에서나 서울에서나 별로 장수(長壽)하는 분이 많지 않았다. 내가 어릴 때 기억으로는 시골 고향 마을에서 고작 여든두 살 사신 분이 장수한 분이었다. 그러나 근자에는 의학이 발달되고, 약도 좋은 것이 많고, 또 예전처럼 가난하질 않아 여든을 넘겨 사는 사람이 귀하질 않은 모양이다. 아버지께서는 예전 분으로는 비교적 몸에 병을 모르시고 한평생 건강하게 사신 분이다. 당신의 건강을 자랑이나 하시는 것처럼, 사람의 수명은 원래 백스무 살까지는 살게 되어 있는데 몸 관리를 잘못해서 백스무 살을 못 산다는 것이다. 절대로 입에 달다고 과식하시는 일이 없었고, 절식복약(節食服藥)이라고 음식은 나붓하게 잡숫고 몸에 이로운 약술 같은 것을 담가 놓고 애용하셨다.

예전에 중국에서 어떤 원님이 지방 순시 길에 머리가 검은 노녀(老女)가 백발 노파를 꾸짖는 광경을 보고 괴상히 여겨 수레를 멈추고, 머리 검은 노녀보고 "무슨 사유로 손위 늙은 노인을 꾸짖는고?" 하고 물었다.

대답인즉 "저 애가 제 딸이올시다. 그런데 여사여사 잘못하므로 꾸짖었습니다" 한다.

하도 어이가 없어서 "그대가 어미라면 어찌 그대 머리는 검고 딸의 머리는 희단 말인가" 하고 재차 물은즉, "제 집 우물가에 구기자나무가 오래된 것이 있사온데, 그 덕분으로 제가 나이 먹어도 머리가 세지 않는가 봅니다" 라고 대답하는 것이다.

그래서인지 아버지께서는 고향 집 앞의 밭 가운데 우물이 있는데, 그 곁에다 구기자를 가득 심어 키우셨다. 그러나 아버지의 머리는 만년에는 백발(白髮)을 면치 못하셨고, 천수(天壽)를 다하신 것으로 보지만 만 여든 살을 사시고 타계(他界)하셨다.

오락을 모르시던 분

내가 어렸을 때, 집 사랑에는 장기와 바둑이 있었다. 다른 사람들이 두는 것은 보았어도 아버지가 두시는 것은 보질 못했다. 아버지께서는 오락일망정 남하고 승부하는 것을 좋아하시지 않은 모양이다. 하시는 말씀이 "남자가 장기 바둑 둘 줄은 알아야 하나 거기에 심취할 것은 못 된다. 시간 있으면 일하든지 학문을 닦을 것이지" 하신다. 늙으신 후에는 골패(骨牌)를 애용하셨다. 골패로 점(占)을 치시곤 하는 것이다. 화투나 마작 같은 도박성 오락은 아예 모르신다.

아버지의 혈통을 닮아서 그런지 나도 오락이란 일절 모르고 산다. 머리가 단순해서 그런지 장기나 바둑을 들여다보면 머리가 산란해져서 취미가 없다. 그럴 시간이 있으면 독서라도 하는 것이 아깝지 않고 정신의 영양과 마음의 양식이 됨 직해서이다.

작명작호(作名作號)

학문이 유식하신 분으로 시골살이를 하시노라니 아버지께서는 어린 아이들 생후(生後)에 이름을 많이 지어 주셨다. 우리 형제들 이름은 물론이요, 친척들 이름은 거의 지어 주신 폭이 된다. 우리 형제들은 자녀를 낳으면 아버지에게 이름을 지어 달라거나 또는 마음에 드는 이름을 말씀 드려 승낙을 받곤 하였다.

어른들 중에 어울리는 사람에겐 호(號)를 지어 주시기도 하였다. 당신의 호는 학산(鶴山)으로 부르셨다. 고향이 학리(鶴里, 지금은 논현동, 옛 속명은 학골)인 데다 산(山)을 좋아하셨기에 '학산'이라 하신 거다. 당신 마나님―나의 어머님―은 봉담(鳳潭, 봉의 연못)이라 지으셨다. 새 중에 으뜸은 봉(鳳)이요, 또 나의 조부님의 이름에서 '봉(鳳)'자를 따고, 산의 짝인 연못〔潭〕을 택하신 것으로 안다.

내 나이 서른다섯가량 되어서이다. 한때는 고향에 들러 아버님을 뵈옵고 얘기 도중에 아버지께서 "너, 호가 있느냐" 물으신다.

"글쎄요, 시곡(柿谷)이라고 하면 어떨까요" 하고 평소에 생각하던 바를 말씀 드렸더니, "좋다, 그리 해라" 하시며 흔쾌히 찬성하신다. 나는 아버지께서 감나무를 평생 사업으로 아끼시고 가꾸시는 뜻을 좇은 것이고, 산(山)의 대(對)가 되는 동시에 동명(洞名)인 '학골'의 곡(谷)을 따고 율곡(栗谷)의 곡(谷)을 흉내낸 것이다. 아버지께서는 아들의 뜻이 흐뭇하셨으리라 믿는다.

아버지께서 나에게 남겨 주신 유산이 바로 평생 꿈꾸시던 감나무밭인 것도 인연이 있음 직하다. 나는 퇴역(退役) 후 고향 땅 옛 감나무밭을 성토(盛土)한 위에 영구주택(永久住宅)을 짓고 '柿谷幽居'(시곡이 조용히 사는 곳)란 현판을 나무로 새겨 걸어 놓았다.[25]

25. 김익권이 이 집을 짓던 1976년에는 이곳에서 영구히 살 것을 계획하고 매우 튼튼하게 지었다. 그러나 몇 년 지나지 않아 그곳이 상업지역으로 변하여 소란스러워지자 1985년에 개포동 아파트로 이사했다. 개포동은 김익권의 칠대조와 육대조가 묻힌 곳이기 때문에 이곳을 새 터전으로 잡았다. 칠대조가 개포동에 터전을 잡은 유래에 대해서는 다음과 같은 일화가 전해 내려온다. 백촌(白村) 공과 그의 큰아들이 세조(世祖)의 왕위 찬탈로 순절하자 나머지 네 아들이 남쪽으로 피란 내려갔다. 막내아들 김정석(金正錫)이 경상도 상주(尙州)로 갔다가 그 후예가 점차 영동(永同)을 거쳐 수원(水源) 부근에 자리 잡았다. 그런데 하루는 그분이 살던 동리에서 어떤 권세가에 초상이 나자 묘 자리를 썼는데, 그곳이 김익권 조상의 묘 바로 위였다. 그자리가 명당이기 때문이었다. 예전 관례로는 남의 묘 자리 위에 다른 집안의 묘을 쓰는 것은 인륜에 매우 어긋나는 일이었다. 그리하여 추측건대 칠대조 김유징(金有徵)과 그의 아들 김예만(金禮萬)이 그런 불효를 참을 수 없어, 어느 날 그 세도가의 묘를 파헤쳐 훼손하고 밤새 도주하여 다다른 곳이 개포동이라고 한다. 이곳에서 한동안 살다가 오대조 김흥대(金興大) 때 학리에 터전을 잡았다. 김흥대는 장인에게서 기량을 익혀 소 거간을 하여 부를 쌓았다고 하며 그의 손자 김치영(金致英) 대에 이르러 천석꾼이 되었다고 한다.—편자

사주(四柱)와 궁합(宮合)

예전 분들은 사람의 한평생의 운명을 타고난 사주(四柱)로 풀이하는 습속(習俗)이 매우 짙다. 자녀의 혼인 상대를 고르는 데도 사주의 궁합(宮合)을 매우 중요시했다.

그것이 현대적인 사고방식으로 볼 때 비과학적이고 합리성을 찾아볼 수 없는 것이라 하더라도, 결혼 후 상처(喪妻)를 하는 사람, 또는 일찍 과부가 되는 사람이 있는가 하면, 늙도록 다복하게 부부 해로(偕老)하는 사람이 있고, 한편 유복(有福)한 사람과 액운(厄運)을 겪는 사람들이 있으니, 이왕 부부로 맺을 바에야 궁합이 서로 맞는 것을 택함 직도 하리라. 아버지께서는 남의 사주를 봐 주시는 처지니까 당신 부부 간의 사주 궁합은 오죽 잘 풀이하셨을 것이겠는가. 며느리를 데려올 때도 사주에 천복성(天福性)이 있으면 매우 탐탁하게 생각하신다. 나의 둘째형수님은 사주에 천복성이 있어, 우리 집에 들어오신 후 집안이 늘었다고 항상 말씀하시곤 하였다. 슬하에 부리는 사람을 두실 때에도 사주상에 천복성이 있는 젊은이는 꼭 붙드신다. 그 사람이 있는 동안에는 집안 살림이 번창하기도 한다.

어머니와 부부생활을 하시는 가운데 젊어서는 가끔 말다툼도 하시곤 했다. 어머니 성격이 좀 괄괄하고, 오히려 아버지 성격은 어떤 점은 여성같이 자상하기도 했는데, 남자로서의 권위상 의견을 굽힐 수 없었는지도 모르겠다. 늙으신 후 어머님이 안 계시는 자리에서 "사주에 너의 어머니는 백랍금(白鑞金)이요, 나는 양류목(楊柳木)이다. 금

극목(金尅木)이니 서로 상극이야. 쇠붙이로 나무를 찍지 않니? 불행 중 다행히도 쇠붙이 중에는 제일 연한 납이로구나. 수양버드나무를 꺾지는 못해도 찌르는구나. 내가 한 눈을 버린 것도 사주 탓인 것 같다" 하고 말씀하시는 것을 몇 차례 들었다.

그러시면서도 부부로서 육십일 년 동안이나 해로하셨고, 어머니가 돌아가신 후 외로워서 거의 매일같이 뒷동산 산소에 오르내리시더니, 사 년이 못 되어 어머니 뒤를 따르셨다.

제사(祭祀)는 간소하게

조상님들의 제사는 대개 종가(宗家, 장손) 집에서 지내는 것이 보통 관례로 되어 있다. 그때에는 문중(門中)이 모이게 마련이다. 우리 아버지는 오남 형제 중 막내이므로 조상님들의 제사를 받드실 책임이 없으셨다. 그러나 종갓집이 생계가 어려워지고 고향을 떠나 버린 후에는 할 수 없이 집에서 제사를 모시기도 했다.

아버지께서 노후에 집안 원로 격으로 계시면서 영을 내리시어, 조상님들의 제사는 기제사(忌祭祀, 돌아가신 날을 추모하는 제사)를 생략하고, 일 년에 한 번 시제[時祭, 도제사(都祭祀)]를 늦가을에 지내기로 하셨다. 고향집에서 친척들이 모여 정성껏 지낸다. 각기 제물(祭物) 한 가지씩 준비해 온다. 지금은 문중 묘지를 이천(利川) 땅에 마련해 나의 칠대조 이하 전 조상님들의 묘를 한 고장에 옮겼으니, 그곳에서 지낸다. 시대가 변화하게 바뀌어 가는데 구풍(舊風)만 좇을 필요가 없고, 남의 흉내만 낼 필요도 없고, 간소하나마 자손들의 정성과 효심만 나타낼 수 있으면 된다는 것이었다. 매우 독창적인 제도라고 생각하며, 그러지 않아도 바쁜 세속 생활 속에서 조상님들의 제사 걱정 안 하고 살 수 있게 해주셔서 고맙다. 조상님들에겐 한식(寒食, 식목일)과 추석(秋夕)과 시제(늦가을), 세 번만 몰아서 문중이 모여 합동으로 성묘(省墓)하고 제사를 지낸다.

아버지와 어머니 돌아가신 날에도 제사는 없다. 그래도 생신날에는 섭섭해서, 있는 음식으로 영전(靈前)에 술 한 잔 부어 놓는다.

야반(夜半)의 주례

내 나이 스물한 살 때 양력 12월 하순의 일이다. 머지않아 해가 바뀌면 일본 군대에 강제로 입영하게 되어 있었다. 서울에 있었던 경성제국대학(京城帝國大學, 현 서울대학교의 전신) 법문학부 법과 일학년 재학 중에 학도지원병이란 명목으로 일본군에 동원되어 나가는 것이다. 이차세계대전이 막바지 고비를 넘어서 일본군이 연합군의 반격 앞에 수세에 몰릴 때이다. 입대해서 십중팔구 전지(戰地)로 내몰릴 판으로 생사는 불확실한 것이다.

나에겐 그때 사랑하는 여인이 있었다. 지금 말로 얘기한다면 열렬히 연애 중인 여성이 있었으나, 그때까지는 부모님이 반대하시던 처지였다. 자식이 전지에 나가게 되니 측은해 보였던지, 나와 그 여인—지금 나의 아내가 된—의 의사를 타진하신 후 성례(成禮)시키기로 결심하셨다.

택일이 되자, 목욕재계하고 야반에 마당에 멍석 깔고 촛불 켜고 동이 정화수 떠 놓고 향 사르고, 아버지께서 하늘에 고축문(告祝文) 읽으시고, 예식을 올렸다. 집안 식구와 가까운 친척만이 참석하였다. 세월이 촉박도 했지만, 나는 학생복밖에 없어서 형의 바지저고리 빌려 입고 결혼식을 치렀다. 해방 후 살아 돌아와서 자녀들을 키우며 삼십오 년여의 세월이 흘렀다. 그때를 회상하면 비장하기도 하고 엄숙하기도 하지만, 한편 아버님의 형식과 관례에 구애를 받지 않으시는 주체의식과 결단성에 감복하게 된다.

꿈 이야기

우리 인간이 나이 먹어 가면서 경험하는 바로는, 꿈에는 몸이 불편하거나 심기(心氣)가 불안할 때 꾸어지는 소위 '개꿈'과 '뜻이 있는 꿈(참꿈)'이 있는 것을 알게 된다. 그래서 경험 많은 어른들은 "꿈이 허사가 아니다"라는 말씀을 하시게 된다.

나의 아버지께서는 당신이 꾼 꿈 이야기를 자주 해주시지 않았지만 —부부 간에는 모르겠지만—, 한 꿈 이야기는 여러 번 해주셨다.

"어려서 손위 형들 네 분하고 아버지(나의 조부)를 모시고 저 뚝섬 뒷벌을 가는데, 비가 온 후라 그런지 땅이 몹시 질구나. 그런데 아버님의 신발이 진창에 빠져 벗겨졌어. 다른 형들이 모른 체하고 그대로 가는데, 얼른 가서 신발을 진창에서 꺼내 가지고 깨끗이 닦아다가 아버님께 올렸더니 좋아하시고 내 마음도 무척 흐뭇했다. 깨고 보니 꿈이 아니겠니. 형들도 있는데 본체만체하고 걸어가는 것이 꿈속에서도 괴상히 생각되었다. 나는 이 꿈이 너무나 생생해서 한평생 잊혀지질 않는구나. 나이 들어 생각해 보니, 아마 할아버지의 뒤를 잇는 것이 오형제 중에 막내인 나인 것을 꿈속에서 암시해 주신 것 같아."

나는 아버지의 이 꿈 이야기를 한평생 기억하고 산다. 나에게도 개꿈이 있고 참꿈도 있다. 내가 후반생을 살아가는 가운데 간혹 망설임과 아쉬움이 있을 때, 꿈에 아버님을 보면 그날은 대길(大吉)이고 만사에 형통하여 마음의 아쉬움이 풀린다. 공자(孔子) 같은 분도 "꿈에 주공(周公)을 뵌 지가 오래이다. 내 몸이 노쇠해져서 그런가 보다" 하고 아쉬워하셨지만, 틈틈이 그리울 때 아버님을 꿈속에서라도 뵙고 싶다. 작고하신 지 오랜 아버지를 사모하면서 나의 여생을 가꿔 가리라. 그리고 영혼이 천상(天上)에 계신다면, 내가 이 세상 살아 있는 날까지 나의 인생을 인도해 주시길 바란다.

나도 이 세상을 하직할 때까지는 부모님이 극락정토(極樂淨土)에 왕생(往生)하시도록 매일 아침에 염불공양(念佛供養)하고 있는 터이지만….

종기를 빨아 주시던 분

지금은 병원도 많고 약도 흔하다. 예전 시골에서는 약도 귀했다. 내가 어렸을 때는, 종기가 났을 때 붙이는 약이라고는 '조(趙)고약' 아니면 '청(靑)고약'이라고 있어 붙여 두면 곪은 다음에 근을 잘 빨아내는 약으로 쓰였다. 곪기를 기다려서 파종(破腫)이 되면 고름을 손으로 짜내고 고약을 또 붙인다. 섣불리 짜면 도로 곪기도 하고, 종기는 오래 간다.

나는 어려서 피가 과했던지 종종 종기가 생겨서 고생을 많이 했다. 그럴 때면, 곪은 다음에 아버지께서 고름을 짜내고 입으로 빨아서 구정물 같은 피를 뽑아 주신다. 피는 요강에 뱉으시고 나중에 양치질을 하신다.

빨고 나면 시원하고, 하룻밤을 자고 나면 벌써 새살이 돋고 아물기 시작한다. 종기를 입으로 빨면 효과가 빠른 것을 체험하였다.

어려서 생각으로도 피 구정물을 입으로 빨아서 목으로 넘어가면 병에 걸리지 않을까 하고 여겨졌지만, 그런 일은 없다.

지금 사람들은 그런 일을 하다간 잘못하면 암에 걸리지 않을까 하고 생각되기도 하겠지만, 사람의 침은 살균력이 있어서 종기 부분의 소독도 되고, 빤 사람 자신도 양치질함으로써 아무렇지도 않다. 물론, 현대인은 비위생적이라고 해석할 것이고, 의술이 좋고 약이 많으니까 그럴 필요는 없을 것이다. 그러나 그 정성스런 사랑이 문제가 되는 것이다.

어려서 이런 얘기를 아버지한테서 들은 바 있다.

　중국 옛적에 유명한 장수 오자(吳子)라는 사람이 있었는데, 전지
(戰地)에서 부하의 종기를 빨아 주었다고 한다. 전쟁이 벌어졌는데,
한 촌부(村婦) 할머니가 울고 있더라는 것이다. 이웃 사람이 이상히
여겨 왜 우느냐고 물었더니, 그 이유인즉, 전지에 나간 자기 아들한테
서 소식이 왔는데, 등창이 나서 고생하던 중 상관 장수이신 오기(吳
起) 장군께서 몸소 종기를 빨아 주셔서 나았더라는 얘기이다. 이웃 마
나님이 되묻기를, "그처럼 장군한테 사랑을 받고 있으니 그보다 더
영광된 일이 어디 있겠소. 슬퍼할 일이 아니로구려" 한다. 그 말을 들
은 촌부 말이 명담(名談)이다. "내 자식의 등창을 빨아 주셨으니, 내
자식이 상관을 위해서 대신 죽어 줄 것이 아니오. 이젠 내 자식은 죽
었소" 하더라는 것이다.

　과연 그 젊은이가 전장에서 죽었는지 살아 돌아왔는지는 모를 노릇
이지만, 오기(吳起)라는 장군이 얼마나 부하를 친자식처럼 사랑했는
지 알 수 있다.
　예전엔 우리 조상들은 자식들의 종기를 빨아 주었고, 또 자손들은
부모님들의 종기를 서슴지 않고 빨아 올렸다. 부모님의 은혜는 한량
이 없는 것이다.

평생을 배움의 삶으로

아버지께서는, 어려서 소년 시절에는 글방에 다니시거나 사랑방에 선생님을 모셔다 놓고 글을 배우신 일은 있어도, 나이 드신 후에는 일정한 선생님이라고는 없었다.

그러나 일반 학문에 있어서나, 또는 살아가는 데 필요한 실용적인 지식에 있어서 자기보다 뛰어난 사람에게는 기회 있는 대로 정성껏 배우려 하셨다.

때로는 자기보다 연하인 사람일지라도 학문에 뛰어나고 아는 것이 많은 사람한테는 공손한 자세로 지식을 배우고 기록해 두었다. 이렇게 하시길 한평생 하신 것이다.

내가 짐작하기에도 우리 아버지의 선천적으로 타고난 두뇌는 평범한 수준이었다고 본다. 그러나 평생껏 공부하셨고, 지식의 습득을 위해서는 연령상 체면이라든지 거리의 원근을 가리시지 않고 찾아가서 배우시는 불치하문(不恥下問)의 정신이 당신으로 하여금 만년에 해박한 지식을 갖게 한 것이라고 본다.

국사(國史)—특히 조선 오백 년 야사(野史)—에는 훤하셨고, 고담(古談)과 침술(鍼術), 풍수지리(風水地理), 사주(四柱), 택일(擇日), 점치는 일 등 일상 농촌생활에 필요한 실용적인 학문을 몸에 익히셨고, 한시(漢詩)와 시조(時調)를 잘하셨다.

연세 여든에 돌아가셨는데, 일흔일곱까지 일기를 쓰셨다. 나는 평생토록 배우려고 노력하시던 아버지의 진지한 모습에서 인생을 배웠다.

돌다리도 두드려 보고 건너라

예전 선비들은 유교(儒敎)의 영향으로 대개 매사에 신중히 사고하는 미덕을 지녔다. 아버지께서는 무슨 일을 계획하고 착수하시기까지는 궁리하고 또 궁리하는 사려 깊으신 분이었다. 속담에 '돌다리도 두드려 보고 건넌다'는 얘기가 있지만, 그러한 성격을 지니신 분이셨다. 그렇기에 한평생 패가망신하는 모험이 없으셨으며, 흥했다 망했다 하는 굴곡이 없으셨다.

먼 뱃길이나 찻길같이 위험이 따르는 곳에는 온 가족—부모와 자손—이 몰려서 함께 가는 법이 없다는 말씀을 들은 바 있다. 요사이 흔한 자동차를 타고 다님에 교통사고로 부모 자녀들이 한꺼번에 화를 당하는 예를 보게 되니 딱하다.

육이오 전란 때에도 여러 명의 손자들을 한곳으로 데려가시질 않고 여러 곳으로 분산시키셨다. 삼 년 전란(戰亂)을 치르고도 집안에 한 사람도 화를 입지 않은 것은 다행이었다.

백 번 참으라, 순함으로 덕(德)을 삼으라

내가 젊어서 군에 있을 때, 진해(鎭海) 육군대학에서 간부의 한 사람으로 근무하던 당시[26]의 일이다. 아버지께서 진해에 오셔서 여러 날 쉬고 가신 적이 있다.

하루는 퇴근하여 관사에 돌아오니 아버지께서 나의 서재(書齋)와 안방 입구 위에다 써 붙이신 것이 있다. 나의 방에는 '百忍堂(백인당)'이라 씌어 있고, 주부(主婦)의 방인 안방에는 '以順爲德(이순위덕)'이라 씌어 있다.

아버지 말씀이, 남자는 집에서나 밖에서 일할 때나 언제든지 백 번 참는 마음으로 화내지 말고 살아가야 한다는 것이다. 화가 날 때 참아 가고 어려운 것을 견뎌 나가면 뒤가 길(吉)하고, 그렇지 못할 때는 화(禍)가 닥치고 후회한들 소용이 없다는 것이다. 또 여자는 순한 것으로써 덕(德)을 삼아야 한다는 것이다. 여성은 음(陰)이니, 음의 본바탕은 유순하고 부드러운 것이다. 여자가 거세고 자기 주장만 고집하면 남편과 다투게 되고 가정의 평화가 깨진다는 것이다. 이러한 교훈을 우리 부부에게 좌우명 삼아 써 붙이신 것으로 안다.

후에 내가 나이 들어 알게 된 것은, 사서오경(四書五經) 중의 하나인 『주역(周易)』의 정신이, 바로 남성은 양(陽)이니 참는 것을 미덕으로 하고 여성은 음(陰)이니 유순(柔順)한 것을 미덕으로 삼는다는 데

---

26. 1958년 봄, 김익권이 육군대학 학생감으로 있을 때이다.—편자

있는 것 같다.

　나는 젊은 사람들의 주례(主禮)를 서게 될 때에는 가끔 아버지께서
내가 젊었을 때 내리신 교훈을 이야기해 주곤 한다.

네 입만 입이냐

어려서 보통학교도 가기 전이니까 내가 아마 대여섯 살 때인 것 같다. 한때는 아버지와 겸상을 하고 밥을 먹고 있을 때였다. 시골치고는 귀한 쇠고기 장조림이 상에 오른 것이다. 먹어 보니 맛이 있다. 철모르는 터라 자꾸 그것만 해서 먹고 다른 반찬에는 젓가락이 가질 않았다. 이것을 본 아버지께서 "맛있는 반찬이라고 너만 먹니? 네 입만 입이냐? 다른 것도 섞어 먹어야지" 하신다. 그때까지 아버지한테 음식 먹는 데 꾸중을 들어 본 일이 없는 터라 무척 가슴에 사무쳤다. 과연 맛있다고 나 혼자 먹는 것이 아니로구나 하고 깨달은 것이다.

이제 와서 생각하니 세상에는 이기주의적인 얌체 같은 사람도 상당히 있는데, 나는 어려서부터 아버지한테서 좋은 버릇을 배운 것이다.

나 또한 가장(家長)이 된 후 법도에 따라 나의 자식들을 키웠다. 잔치나 제사 같은 때, 또는 여럿이 회식할 때 어린아이들이 버릇없이 얌체처럼 구는 것을 보면, 그 부모의 가풍(家風)이 짐작된다.

논에 잉어를 키우자꾸나 — 水田養魚

아버지께서는 평생에 꿈이 많으셨던 분이다. 젊어서는 자수성가하신 가사(家事)를 위해서 규모는 크지 않지만 여러 가지 사업을 하신 것으로 안다. 즉 노쇠하시기 전까지는 인생의 꿈이 끊임없으셨던 분이다.

내가 군(軍)에 종사하고 있던 대령 때의 일이다. 아버지께서 일흔이 넘으신 연세였다고 기억된다. 하루는 서울 후암동에 있는 막내아들인 내 집에 오셔서 묵으시면서 하고 싶으신 일을 말씀하신다.

양어(養魚)를 하고 싶으시다는 것이다. 얘기인즉, 논에다 벼농사도 지어 먹어 가면서 그 논에다 잉어를 키운다는 말씀이다. 어디서 그런 양어법을 들으셨는지 모르지만, "저도 일제 때 문화영화(文化映畵)로 일본 농촌에서 논에다 잉어를 길러 일석이조 하는 것을 본 적이 있습니다" 하니 무척 좋아하신다.

논에다 벼를 심어 수확할 때까지는 수개월이 걸리는데, 일모작(一毛作)밖에 못하는 곳—우리나라 중심 이북은 그러하다—에서는 나머지 기간은 논을 놀린다. 그러나 봄에 모를 낸 논에다 잉어 새끼를 풀어 놓으면, 논을 연중 놀리지 않으면서 잉어가 자라고, 잉어는 해충을 잡아먹고, 잉어의 배설물은 거름이 되어 벼에도 좋다는 것이다. 다만 논에 물줄기가 좋아서 연중 물이 마르지 않는 조건이 충족해야 한다.

"그런 논이 있습니까" 하니, 고향 마을 밖 들판에 '멍어다리논'이라는 제일 넓고 좋은 논이 있는데, 그 논이 가장 이상적이라는 것이다. 이 논은 사철 물이 마르지 않는 옥답(沃畓)인데, 우리 할아버지가 천 석 하실 때 우리 집 소유였는데 나의 사촌 형(종손)이 팔아 버려서 현재 남의 손으로 넘어간 논이다.

아버지는 막내아들로서 당신 아버지의 소유였던 옥답을 다시 사들이시고 싶은 꿈이 있었던 것이다. 그 논을 주인이 내놓았는데, 인생의 마지막 사업으로서 그 논을 사서 수전양어를 하시고 싶지만 살 돈이 없다는 말씀이다. 나는 선뜻 "제가 살고 있는 이 집[27]을 내놔서 팔아 가지고 그 논을 사 올리죠" 했다. "전세를 들어도 괜찮으니 그리해 보지요" 했다. 아버지께서는 무척 고마우셨던 모양이다. 흡족히 생각하셨다.

그 후 집을 복덕방에 내놨지만 빨리 팔리지 않았다. 추후에 아버지께서 다시 오셔서 집 파는 것을 만류하셨다. 그리고 하시는 말씀이, 그 논을 사는 대신 임대하기로 했다는 것이다. 아버지께서는 그 논 한 귀퉁이를 연못으로 만드시고, 어미 잉어를 사다 넣고 봄에 새끼를 치면 그것을 논에 방류(放流)하실 예정이었다. 가까이 있는 우리 소유 산기슭에 간소하게 두어 칸 집을 짓고, 그곳에서 수양(修養)하시면서 양어를 낙으로 삼아 여생을 보내시려고 한 것이다.

그러나 결과는 무소득으로 끝이 났다. 이웃 마을 불량배들이 몰래 그물로 어미 잉어를 잡아갔으므로 허탕을 치신 것이다. 봄이 되어서 아무리 새끼 잉어를 기다려도 새끼가 나오지 않았다. 세상일은 쉬운 일이 없는 노릇이다. 아버지가 젊으셨다면 다시 시도해 보셨을 것이

---

27. 그 집은 김익권이 결혼한 지 몇 해 지나서 아버지가 사 준 것이다. 김익권의 처 한정희(韓貞姬)가 후암동에서 삼광 국민학교 교사로 있을 때, 교사들에게 일본 적산가옥을 불하하는 기회에 처의 명의로 사 준 집이다. 돌아보건대, 시아버지의 양어장을 마련하기 위해 집을 팔아 내놓자는 데 순순히 응해 준 김익권의 처는 시아버지 김용대가 부덕(婦德)의 기본으로 강조하던 '유순한 여자'의 전형을 보여 주는 것 같다.—편자

다. 그러나 이미 연만(年滿)하시므로 단념해 버리셨다.

　나는 지금도 마음만으로라도 노부(老父)님께 효도하려던 것이 흐
뭇한 추억으로 남아 있다.

자기 몸보다 더 소중한 것이 있겠느냐—身外無物

나는 평생을 군에 종사하였지만, 대위 때부터 신경성 위장장애가 나타나서 고생을 해야 했다. 대령 때 미국 유학을 갔다 와서 육군본부 요직에서 격무에 시달릴 때,[28] 그 증세가 심화되어 음식이 소화되지 않아 고생이 이만저만 아니었다.

도저히 참기 어려워지니 정신적으로 한계에 도달했다. 장군이 될 수 있다는 미련도 있었지만, 모든 희망을 버리고 살아야겠다는 결심이 들어 상관에게 퇴역 제대하기를 간청했다. 나의 상관[29]은 그런 생각 말고 우선 걱정 말고 푹 쉬라고 휴가를 주셨다.

나는 고향 농촌으로 돌아가서 아버지께 사유를 말씀드리고, 군을 그만두어야겠다고 여쭈었다. 아버지께서는 한참 들으시더니 "신외무물이다. 세상에 자기 몸보다 더 소중한 것이 있겠느냐. 네가 정 그렇게 생각한다면 그만두어라. 사람이 다 살게 마련 아니겠느냐" 하신다.

나는 아버지의 사랑이 무척 고마웠다. 과연 신외무물인 것이다. 나는 모든 근심 걱정을 놓고 약 한 달 동안 푹 쉬었다. 차도가 있어 차차 나아졌다.

그러던 차에 성격과 취미에 맞는 근무처로 전근이 되어서 건강을

---

28. 육군본부 작전국 교육과장으로 근무하던 1957년의 일이다.—편자
29. 당시 작전국장이었던 정래혁(丁來赫) 장군이다.—편자
30. 김익권은 1957년 12월말에 진해의 육군대학 학생감으로 전근되었고, 다음 해 8월말에 교수단장으로 전보발령받았으며, 그 다음해인 1959년 12월말에 장군으로 승진했다.—편자

회복하고 능률적으로 일하게 되고, 그곳에서 장군이 되었다.[30] 전화
위복(轉禍爲福)이 된 셈이다.

자식의 출세만을 바란 나머지 자식의 괴로움을 몰라주는 부모도 흔
한 터에 나의 아버지는 현명하셨다.

부자중심주의(父子中心主義)

우리나라의 전통적인 가족제도는 조(祖)에서 부(父)로, 부에서 자(子)로, 자에서 손(孫)으로 가계(家系)가 이어지는 철두철미한 부자중심주의인 것은 사실이다.

근자에 와서 농경사회로부터 산업사회로 변모해 가고, 더욱이 고도산업사회로 급진전함에 따라 서구식으로 핵가족제도화해 가는 현대의식구조에서 살펴본다면, 기이하리만큼 모권(母權)은 소외되고 부권(父權)이 절대적인 작용을 하였던 것이다.

그러한 한 예로 나는 우리 아버지한테 들은 한 토막의 옛 얘기를 소개하고자 한다. 그 출처는 중국 얘기인지 또는 우리나라 얘기인지 모르겠지만, 농경을 생활 수단으로 하던 옛 농촌에서의 얘기이다.

어느 마을에 한 부부 사이에 외아들을 둔 집안이 있었다.

아들이 열두서너 살쯤 되었을 때 하루는 부자 둘이서 집의 담을 수리하고 있었다. 흙과 돌로 된 담이었는데, 퇴락했기 때문에 헐어서 다시 쌓고 있는 것이다. 날씨도 고르고 따뜻해서 옆집의 어린애가 와서 곁에서 구경을 하면서 아장아장 놀고 있었다. 별안간 미처 굳지도 않은 담이 왈칵 무너지는 바람에 어린애가 흙더미에 치어서 깔려 죽었다. 부자는 깜짝 놀라고 당황하였다. 이를 어찌할 것인가. 엉겁결에 아버지는 주위를 돌아보며 아무도 못 본 것을 확인하고 서둘러서 담 밑바닥에 시체를 집어넣고 그 위에다 실하게 담을 쌓아 올렸다. 자기 아들한테 "아무한테도 이런 얘기를 하지 마라. 얘기했다간 큰일 난다" 하고 당부했다. 아들은 "명심하겠어요" 하고 굳게 맹세했다.

그 사실을 부자 이외엔 아무도 모른다. 이웃집에서는 어린애가 갑자기 없어졌으니 찾아다니느라고 동네가 벌컥 뒤집혔다. 아무리 찾아봐도 온데간데가 없다. 귀신이 곡할 노릇이다. 여러 날, 여러 달을 두고 찾아봐야 나타날 리가 없는 노릇이다. 영영 잃어버린 것이다.

그로부터 몇 해가 지났다. 하루는 아버지와 어머니 그리고 아들, 셋이 밥상에 앉아서 밥을 먹고 있는데, 무슨 얘기 끝인지는 몰라도 아들이 "몇 해 전에 담 쌓다가 담에 치여 죽은 이웃집 아이…" 하고 말을 꺼냈다. 아버지는 당황하면서 눈을 흘겨 아들을 제지했다. 곁에 있던 어머니는 눈치를 채고 의아스레 생각했지만 더 이상 캐묻지는 않았다.

식사를 마치고, 어머니는 상을 들고 부엌으로 나갔다. 그제야 아버지는 아들에게 "남 앞에서 함부로 그런 얘기를 하느냐" 하고 호되게 나무란다. 아들은 '남 앞에서…'라는 말에 "아버지, 어디 누가 있어요. 아버지와 어머니와 저뿐 아니에요" 한다. 아버지는 "네 어미는 남이 아니고 뭐냐" 한다. 아들은 그 나이에 그 뜻을 미처 못 알아들었지만 그런가 하고 말았다.

그로부터 다시 수년의 세월이 흘렀다. 그런데 이 가정에 부부 싸움이 크게 벌어져서 이웃을 비롯해서 동리 사람들이 이 집 대문 밖에 몰려와서 구경을 한다.

아내는 독기 오른 목소리로 "너 이놈! 몇 해 전에 담 쌓다가 이웃집 아무개를 담에 치여 죽이고도 모른 체하지…. 이놈!" 하고 외친다. 동리 사람들이 다 알게 되었고, 이웃집 주인을 관(官)에 고발했다.

관에 끌려간 아버지는 모든 사실을 고백했다. 담을 헤쳐 보니 어린애의 시체가 나타났다. 예전의 법으론 '살인자는 사(死)'이다. 남의 어린애를 과실로 죽게 했지만, 그것을 은폐하고 암장(暗葬)한 죄로 사형을 당하게 되었다.

그때 자기 아들을 돌아보고 하는 말이 "이 녀석아, 그래서 남 앞에서는 얘기 말라고 했지?" 하고 한탄했다는 것이다.

예전 법도로는 아버지와 아들 사이는 끊으려야 끊을 수 없는 게지만, 어머니는 아버지와의 관계가 바뀌면 남이 될 수 있다는 얘기다.

부부 중심주의 내지 핵가족주의와는 거리가 먼 부자중심주의에 치우친 봉건시대의 일화이기도 하다.

아버지가 들려주신 옛이야기

내가 아버지한테 들은 옛이야기 가운데 재미있고 기억에 남는 야담을 세 가지만 적어 보려 한다.

말죽거리

나의 고향인 서울 강남구 논현동은 예전 행정구역으론 경기도 광주군 언주면 학리이다. 언주면 소재지는 현재 역삼동으로 양재역을 비롯한 그 일대는 속명(俗名)이 '말죽거리'라는 희귀한 이름을 지니고 있다. 예전에 서울 장안에서 삼사십 리쯤 되는 서울 남쪽에 위치한 역촌(驛村)으로, 그곳에서 마지막 여장(旅裝)을 가다듬고 말에게도 먹이를 먹이고 서울로 들어가는 관문인 것이다. 그러나 '말죽거리'라는 속명에는 다음과 같은 옛이야기가 전해져 내려오고 있다.

조선 명종(明宗) 때 임금이 나이 어리니 그 모후(母后)인 문정왕후(文定王后)가 대비로서 섭정(攝政)을 오래 했다. 문정왕후는 불교에 심취하여 국교인 유교 일변도의 숭유억불(崇儒抑佛)의 전통을 깨고 고승 보우(普雨)를 대선종판사(大禪宗判事)로 제수하여 국정(國政)에 자문하게 하고, 승과(僧科, 승려의 과거제도)를 창시하여 승려에게도 과거를 보게 하여 승직(僧職)에 기용하는 등 불교를 매우 두둔하였다.

유교 이념으로 수신제가치국평천하(修身齊家治國平天下)의 대본(大本)을 삼던 사대부(士大夫)나 선비들에게 보우라는 존재가 눈 속의 가시로 여겨진 것은 당연한 이야기이다. 문정왕후가 나이 먹어 돌아가니 보우가 제주도로 귀양 가게 된다. 사실인지는 모르나, 장사(壯士) 여러 명으로 호송한 나머지 주먹으로 때려 죽였다 한다.

그 보우의 영혼이 죽어서 말로 화(化)하였다. 예전에는 나라에 쓰이는 말의 생산지는 주로 제주도이다. 일 년에 몇 차례인지, 성장한 말은 수백 필씩 제주도로부터 서울까지 이송되어 온다. 보우의 영혼이 화생(化生)한 말로 성장하여 건장해지고 제주도로부터 군마(軍馬)로 끌려 서울로 오다가 마침내 역삼리(驛三里)에서 하룻밤을 지새우게 된다.

역삼리에서 한 십 리쯤 되는 곳에 봉은사(奉恩寺)라는 큰 절이 있다. 이곳은 보우가 생전에 주지로 있던 절이요, 선종판사로 있으면서 승과를 치르곤 하던 유명한 절이다.

한때는 그곳 주지가 밤에 꿈을 꾸는데, 예전에 모시던 보우 노스님이 죽어서 말로 화생하여 제주도에서 서울로 올라오는 도중에 역삼리에서 하룻밤을 묵고 서울로 들어가야 할 판인데 "배가 하도 고파서 못 일어나겠으니 죽 한 동이만 끓여다오" 하지 않는가.

깨 보니 꿈이다. 하도 괴이한 꿈이다. 주지는 보우 스님의 도력(道力)을 짐짓 아는지라 필유곡절(必有曲折)일 게다 생각하고 수하(手下)를 시켜 부랴부랴 팥죽을 한 솥 쑤게 하고 아침 일찍이 동이에 옮겨서 지게에 짊어지게 하고 역삼리로 갔다. 가 보니 과연 말들이 수백 필 모여 있는데, 가장 실한 말 한 마리가 무릎을 꿇은 채 주저앉아서 막무가내로 일어나지 않아 호송하는 관원이 애를 먹고 있는 참이었다. 주지는 과연 꿈이 허사가 아니로구나 탄복하고, 죽 동이를 그 말 앞에 들이대니 말이 한숨에 쭉 들이키고는 벌떡 일어나는 것이다.

그런데 그 말이 서울로 가서 기운 좋은 천리마(千里馬)가 되어 선조대왕(宣祖大王)의 어승마(御乘馬)로 뽑힌 것이다. 이로부터 역삼리 일대는 보우의 화신인 말이 전생에 살던 봉은사 옆을 지나가다가 옛 정이 아쉽고 배가 고파 팥죽을 얻어먹고 일어선 곳이라 하여 '말죽거리' 라는 속명이 붙여진 것이다.

그 말은 임진왜란(壬辰倭亂)을 치르신 선조대왕의 총애를 받아 '벌대준(駿)' 이라 명명되었다. 임금께서 하도 말을 사랑하시는지라, 한때는 명을 내리시기를 "누구든지 벌대준이 죽었다고 말하는 자는 사형에 처하리라" 하셨다.

그러나 동물에게는 수명의 제한이 있는 법이다. 늙으면 죽게 마련이다. 십여 년이 지나갔던지 말이 노쇠해서 죽었다. 마부(馬夫)는 어찌할 도리를 몰랐다. 임금께 아뢰지 않자니 불보고(不報告)의 죄가 될 것이고, 죽었다는 말을 하자니 형을 받아야 할 판이다. 심사숙고한 끝에 임금님 앞에 나아가 "아뢰옵니다" 하였다.

"무슨 일이냐?"

"벌대준이 아무것도 먹지 않은 지 사흘이요, 눈을 감고 있는 지 사흘이옵니다" 라고 아뢰었다.

"그럼 벌대준이 죽었단 말이냐?"

"예, 황송하옵니다."

즉 임금 자신이 먼저 벌대준이 '죽었다' 는 말씀을 한 것이다. 어찌할 도리가 없고, 마부의 기지(機智)를 칭찬하시며 후히 상을 내리셨다는 것이다.

인과응보(因果應報)

우리 조상들에게 인과응보에 관한 구전(口傳)이나 야담이 하도 많은 것은, 이 세상에서 착한 일을 많이 하면 살아생전에 또는 사후(死後) 저승에 가서라도 좋은 보답을 받고, 악한 일을 많이 하면 벌을 받게 마련이라고 유교적 내지 불교적인 권선(勸善)을 위한 교훈에서 나온 것으로 안다. 나는 다음과 같은 얘기를 아버지한테서 몇 차례 들었다.

충청도인지 전라도인지는 미상하나 한 시골에 근검절약해서 자수성가한 촌로(村老)의 농사꾼이 있었다. 슬하에 귀여운 외아들을 두었는데, 나이 열 살이나 되었던지….

한때는 그 동안 모은 돈으로 농토를 장만하려고 외아들을 데리고 수십 리 떨어진 곳까지 대금(代金)을 치르러 길을 떠났다. 견대(肩帶)에다 돈 꾸러미를 만들어서 허리에 단단히 차고 가는 도중이다. 한 절반쯤 다다랐을 때이다. 사람은 나이가 들면 뒤가 허약한 노릇이다. 갑자기 뒤를 보고 싶은 생각이 드나 인근에 집이라곤 없는 들판이라서 하는 수 없이 아들에게 먼저 앞서라고 이르고 길옆 풀숲에다 뒤를 보게 되었다. 뒤를 다 보고 일어서서 다시 걷기 시작하여 아들과 합류한 후 다시 십 리쯤 걸었다.

그런데 아버지는 갑자기 발걸음을 멈추며 "아차! 견대를 아까 그곳에 풀어 놓은 채 왔구나. 다시 돌아가 보자" 한다.

아들은 발을 구르며 "아버지도 딱하시오! 그게 남의 눈에 띄어서 집어갔지 그대로 있겠어요" 한다.

아버지는 "마음을 착하게 쓰면 하느님이 남의 눈에 띄지 않게 가려 주실는지 아느냐" 한다.

부자는 발길을 재촉하며 오던 길을 되돌아갔다. 아까 아버지가 볼일 보던 그 자리까지 당도해 보니 견대는 눈에 뜨이지 않았다.

아들은 "그것 보세요, 없어졌지요" 한다.

그 근처를 아무리 찾아보아도 간 곳이 없다. 난감한 노릇이다. 과연 길가라 아들의 말대로 행인의 눈에 띄어 집어간 것이다.

그러던 차에 저만치 떨어진 곳의 논두렁에서 소 먹이던 노인 한 분이 "그 무엇을 찾으시오? 잃어버린 물건이라도 있으신가요?" 한다.

사유를 얘기하니 허리춤에서 견대를 풀어 주면서 "바로 이것인가요?" 한다.

"예, 바로 이것입니다. 그런데 이게 웬일입니까?"

"예, 논두렁에서 소를 먹이고 오노라니 무엇인지 이상한 물건이 눈에 띄기에 주워 보니 돈 뭉치가 든 견대가 아니겠소? 필경 누가 빠뜨리고 간 것이 분명한테, 그대로 지나가면 길 가는 행인의 눈에 띄면 집어갈 터이니, 주인이 찾으러 오길 기다리느라 소를 먹이면서 머뭇거리고 있는 중입니다" 한다.

대단히 훌륭한 사려 깊은 노인이다. 그래서 단단히 치사(致謝)를 하고 수인사(修人事)를 나눈 다음, 다음날 찾아뵐 것을 기약하고 헤어졌다.

부자는 해 저물기 전에 목적지에 도달하려고 바쁜 걸음을 서둘렀다. 목적지에 가는 도중 내를 건너야 한다. 평소에는 징검다리를 건너면 되는데 이날따라 내의 상류에서 소낙비가 쏟아졌는지 냇물이 불어서 뿌연 흙탕물이 세게 넘쳐흐른다. 행인들은 발이 묶여서 냇물이 줄기를 기다리느라고 수십 명이 운집해 있다. 노인 부자도 하는 수 없이 군중 속에 끼이게 되었다. 그런데 바로 그때 내의 건너편에서 자기 아들 또래 된 소년 한 명이 학교 갔다 돌아오는 길인지 책보를 목에다 걸어 매고 바지를 벗어 등에 둘러 감고 물 가운데로 걸어서 건너오질 않는가.

이쪽에 몰려 있는 군중들은 "저런 철없는 아이가 있나! 급한 물살에 떠내려가면 어찌하려고?" 하고 수군거린다. 과연 내의 중간쯤 건너오는데 물이 허리까지 차서 발을 헛디뎠는지 붕 떠서 자빠지더니 떠내려가질 않는가. 야단났다. 구경하던 사람들은 고함을 지르며 발을 구른다. 아무도 구해낼 도리가 없다.

그때 노인은 반사적으로 무슨 충동을 일으켰는지 손에 견대 돈 뭉치를 치켜들고 "누구든지 저 아이를 구해내는 사람에겐 이 돈 백 환을 주겠소" 하고 외쳤다.

군중 속에서 꺽진 청년이 하나 뛰어나오더니 "정말 백 환을 주시겠습니까?" 한다.

"물론 주지요. 거짓말하겠소?" 한다.

젊은이는 훌훌 옷을 벗고 물에 뛰어들어 헤엄쳐 가더니 떠내려가는 소년의 덜미를 잡아 뭍으로 끌고 나왔다. 사람들이 모여서 소년을 주무르곤 하니 소년은 정신을 차리고 소생했다. 그제야 소년은 자기를 건져 준 청년에게 감사했다. 청년은 노인에게 돈을 요구했다. 노인은 청년에게 선뜻 돈 백 환을 내주었다. 이 광경을 본 소년은 진짜 자기 목숨을 구해 준 것은 백 환을 희사(喜捨)해 버린 노인의 덕분임을 알게 되었다. 소년은 자기 집이 이곳에서 그리 멀지도 않고 하니, 같이 자기 집으로 가자고 애원했다.

노인은 땅 사는 일도 불가능하게 되고 해는 저물어 가고 인근에 주막도 없으니, 하는 수 없이 소년의 뒤를 따라갔다. 아까 낮에 온 길을 되돌아가는 길이다. 어두워서 부락에 당도하여 소년의 집에 들르니, 아, 이게 웬일인가! 아까 낮에 자기에게 돈 견대를 주워 준 그 노인이 있는 게 아닌가! 참으로 놀라웠다.

소년이 자기 아버지에게 자초지종 얘기를 하고, "제 목숨을 구해 주신 은인이십니다. 대금 백 환을 털어서 저를 살려 주셨어요. 이 은혜를 무엇으로 갚아요?" 하고 울부짖는다.

그 집 주인인 노인 부부는 통곡을 하면서 "저희 집 외아들을 살려 주셨구려. 그 신세를 어찌 갚으오리까?" 한다.

"그 돈은 잃어버린 돈이지요. 노인장께서 찾아 주신 돈이니, 이미 제 돈이 아닙니다. 노인의 훌륭하신 음덕(陰德)으로 하늘이 저로 하여금 노인의 외아들을 구해 주신 것이외다" 한다.

이런 대화가 오고 간 뒤 서로 정을 나누며 하룻밤을 지새웠다.

다음날 아침 작별하려 할 때 이 마을 노인이 말하기를, "내 재산이 넉넉한데 아들 하나뿐이고, 당신께서도 외아들을 두셨으니 우리 서로 의형제를 맺읍시다. 고향의 재산을 정리하시고 이곳 우리 집 이웃으로 이사 오십시오. 내가 집을 나의 집과 똑같이 지어 놓을 터이고 재산을 반분해서 드릴 터이니 우리 같이 삽시다" 한다.

상대방 노인은 이와 같은 갸륵한 제안을 수락하고 후에 이곳으로 이사해 와서 대대로 사이좋게 지냈다는 것이다.

고청(孤靑) 서기(徐起) 선생

신구문화사(新丘文化社)에서 출간한 『한국인명대사전(韓國人名大事典)』에 보면 서기(徐起)에 대하여 이렇게 적혀 있다.

1523(중종 18)-1591(선조 24). 〔조선〕학자. 자는 대가(待可), 호는 고청(孤靑)·고청초로(孤靑樵老)·귀당(龜堂)·이와(頤窩), 본관은 이천(利川), 귀령(龜齡)의 아들, 제자백가(諸子百家)와 기술의 이론까지 통달했다. 서경덕(徐敬德)·이중호(李仲虎)·이지함(李之菡) 등에 사사(師事), 특히 지함과 뜻이 맞아 그를 따라 각지를 유람하면서 민속과 실용적 학문의 연구에 전심했다. 향리에 돌아왔다가 이어 지리산(智異山) 홍운동(紅雲洞)에 들어가 제자들을 가르쳤으며, 뒤에는 계룡산(鷄龍山)의 고청봉(孤靑峰) 밑으로 자리를 옮겨 후학 양성에 힘썼다. 죽은 후 지평(持平) 추증(追贈), 공주(公州)의 충현사(忠賢祠)에 제향, 시호는 문목(文穆). 저서에는 『고청유고(孤靑遺稿)』가 있다.

나는 장성해서 처자를 거느리고 살던 시절에 서고청(徐孤靑) 선생에 대한 야담을 아버지한테서 들었다.

옛날 어느 시골에 선비가 살고 있었는데, 그 집에 여자 종이 있었다. 나이가 과년(過年)했지만 얼굴이 얽어서 짝을 짓지 못했다. 그 여자 종은 낮이면 들에 나가 밭을 매거나 논두렁에서 새를 보는 것이 일과였다.

어느 여름날이었다. 들에 나가 밭에서 혼자 일을 하고 있는데 갑자기 소낙비가 세차게 쏟아진다. 우산도 없고 하여 부근 산기슭에 있는 굴처럼 생긴 큰 바위 그늘 밑으로 들어가서 쭈그리고 앉아 비를 피하고 있었다. 한참 있노라니 인기척이 나며 웬 남자 한 사람이 바위 굴 속으로 들어서지 않는가. 깜짝 놀란 여인은 당황한 나머지 치마폭으로 얼굴을 뒤집어써서 가리었다. 사실인즉, 그 남자는 바랑을 짊어진 중이었던 것이다. 서로 놀라고 겸연쩍었지만, 하는 수 없이 비를 피할 다른 방도가 없어 한 굴속에 둘이 있을 수밖에….

한참 있다가 그 남자는 정욕(情欲)이 동하였던 모양이다. 갑자기 여자를 쓰러뜨려 눕히더니 찍어 누르는 것이다. 하는 수 없이 아무 대꾸도 못 한 채 여인은 욕(辱)을 보고 말았다.

비는 멎었다. 일을 치르고 난 중은 옷매무새를 바로잡고서 여인의 얼굴을 가린 치마폭을 젖혀 보았다. 얼굴이 더덕더덕 흉하게 얽은 곰보박색이 아닌가. 중은 "에이, 재수 없어!" 하며 내뱉는 말을 남기고 굴 밖으로 뛰어나갔다.

그 뒤로 그 여인은 몸에 태기(胎氣)가 들었다. 배가 자꾸 불러 오는 것이다. 주인집 나으리는 눈치를 채고서도 캐묻지 않고 어진 마음으로 돌보아 열 달 만에 아기를 순산하니 아들이다. 아기는 무럭무럭 자라서 선천적 재기(才氣)가 넘쳐흐르고, 마음씨가 기특하였으며, 또한 주인집의 아들이 공부하는 곁에서 어깨 너머로 배우는 솜씨가 대단하였다. 주인집 나으리는 그 소년을 사랑하게 되고 자기 아들과 같이 공부를 시키니 일취월장하여 어언 나이가 열서너 살이 되었다. 철이 들기 시작한 것이다.

가끔 어머니한테 조르는 것이 "남들은 다 제 아버지가 있고 또 성(姓)도 있는데, 저는 왜 아버지도 없고 또 성도 모릅니까? 제 평생소원이오니 가르쳐 주셔요" 한다.

하도 아들이 조르는 것이 딱하기도 하고, 또 아들이 장성해서 철이 들었으니 말할 때가 되었다 생각하고는 아들의 임신 출생에 대한 자초지종을 얘기해 주었다. 분명히 자기 아버지는 있지만, 성도 이름도 모르고 또 생사도 모르는 노릇이다.

'어찌하면 아버지가 누군지 찾을 수 있을까' 하고 노심초사한 끝에 일대 결심을 하게 되었다. 원래 두뇌가 명석하고 심지(心地)가 깊은 지라 기상천외한 복안(腹案)을 생각해 낸 것이다.

주인 나으리한테 신임을 받고 있는 터라 처음으로 주인께 청을 드렸다.

"아무 곳 길옆에 조그만 밭 한 뙈기 있습지요?"

"그래, 왜 그러니?"

"그것을 제 마음대로 부쳐 먹게 해주서요."

"그걸 무엇 하자고?"

"예, 어머니도 이젠 나이 드시고 해서 그것으로 밑천을 삼아 연로하신 어머님을 봉양하고자 합니다."

주인은 하도 기특해서 허락해 주었다.

소년은 그 밭에 참외를 심었다. 여름에 참외가 익기 시작하면 농사도 약간 한가한지라 밭 옆에 원두막을 세워 놓고 지나가는 행인에게 참외를 판다. 참외값은 받지 않고 그 대신 무슨 얘기든 재미있는 얘기, 즉 옛날 얘기든 야담이든 경험담이든 남한테 들은 얘기든 간에 한마디 해주면 그것으로 참외값을 대신하는 것이다. 이러기를 수삼 년 하고 있으니 소문이 인근에 퍼졌다.

그러던 차에 한때는 허술하게 입은 중노인 한 사람이 지나가는 것이다.

소년은 손짓을 하여 "참외나 잡숫고 쉬어 가시지요" 하고 청했다.

행인은 주저주저하더니 "돈이 있어야지" 한다.

"돈 없으셔도 좋습니다. 쉬어 가세요. 그 대신 아무 얘기든 재미있을 성싶은 것 한마디 해주시면 돼요."

"그럼 우선 목이나 축이고 나서…. 무슨 재미나는 얘기라곤 있어야
지…."

한참 생각하더니 "여기를 지나다 보니 옛일이 생각나는구먼. 좀 부
끄러운 얘기지만…."

"좀 들려주세요."

"옛날 얘기지. 벌써 거의 이십 년 가까이 되어 가는구먼. 그때 나는
세상이 귀찮아서 중 노릇을 하고 있었다네. 지금은 다 걷어치우고 이
렇게 떠돌아다니는 신세가 되었지만. 어느 해 여름에 바랑을 짊어지
고 이곳을 지나가는데 별안간 소낙비가 폭포처럼 쏟아지질 않겠나.
그래서 허둥지둥 비를 피하느라고 주위를 돌아보니, 지금도 저기 보
이는구먼, 저 바위 굴속으로 들어갔지. 그런데 놀랐어. 그 안에 한 여
인네가 비를 피하고 있질 않겠나. 그 여자는 쭈그리고 앉아 있다가 갑
작스레 놀라고 남부끄러워서인지 치마폭으로 얼굴을 가리데. 서로 겸
연쩍어서 한참 외면하고 비가 멎기를 기다리는데, 비가 쉽사리 멎어
주어야 나가지. 그러던 중에 어디 남자란 그런가. 그때는 나도 나이가
한창이니 저절로 색정(色情)이 동하기 시작하는데, 견딜 수가 있어야
지. '옛다, 모르겠다' 생각하고 그 여자를 찍어 눌렀네그려. 일을 마
치고 일어서서 옷매무새를 하고 나니 비가 멎었네그려. 이왕 인연을
맺었으니 얼굴이나 보고 가고 싶어 치마폭을 걷어 젖혔더니, 또 놀랐
네. 얽어도 흉측하게 얽은 곰보박색이 아니던가. 뒷맛이 좋지 않아 그
길로 그곳을 나서 버렸네. 지금도 기억이 생생하구먼. 지금 그 여인도
살아 있다면 중늙은이가 됐을걸. 한세상 살아가노라면 별의별 일이
다 있게 마련일세…."

이 얘기를 들으니 소년은 귀가 번쩍 뜨이는 것이다. 몇 년을 두고 기

다리고 기다리던 아버지를 찾게 된 것이 아닌가. 나그네 손님은 참외를 먹고 얘기를 해 줬으니 일어서려 한다. 소년은 얘기를 주고받으며 객을 만류하면서 "조금 있으면 어머니가 점심을 가지고 오실 겁니다. 점심이나 같이 나누시고 가세요" 한다.

과연 조금 있으려니까 소년의 어머니가 광주리에 점심을 이고 온다.

소년은 어머니에게 귓속말로 "원두막에 앉아 있는 저 노인이 바로 아버지 그분 같아요. 옛날에 어머니가 겪으신 그 얘기를 그대로 해주시네요. 모습이 같은가 엿보시고 맞으면 눈짓하세요" 한다.

어머니가 점심을 차리면서 두근거리는 마음으로 엿보니 어렴풋이 옛 모습이 떠오른다. 아들에게 눈짓으로 끄떡이니 소년은 노인 앞에 넙죽 엎드려 큰절을 하면서 "노인께서 저의 아버지십니다. 이분이 제 어머니시고요. 저 바위 밑에서 저의 어머니를 만나신 후로 제가 생겨났습니다."

나그네 노인은 놀랐다. 꿈인지 생시인지···. 그 여인의 모습을 더듬어 보니 무척 늙었지만 얼굴이 몹시 얽은 것이 예나 다름이 없다. 아버지와 어머니와 아들이 천재일우(千載一遇)의 상봉을 하게 된 것이다.

"아버지, 그 동안 고생을 얼마나 하셨어요? 저는 아버지 없는 것이 한이요, 성도 없는 것이 한이었습니다. 이젠 평생소원을 풀었어요. 저는 나이도 젊고, 또 일해서 먹고 살 수 있어요. 이젠 저희들과 함께 사십시다" 하니 쾌히 동의하였다.

소년은 부모를 모시고 주경야독하면서 자수성가했으며, 학문이 뛰어나서 많은 제자를 양성하고 널리 존경을 받는 몸이 되었다. 신분이

종의 어머니에서 태어난 몸이라 벼슬을 하지 않았고, 학문이 높아도 겸양의 미덕을 지니며 생을 마쳤다.

출생은 천하였지만 학문과 덕망이 높은 탓으로 공주 충현사(忠賢祠)에 제향(祭享)받게 되신 분이다.

아버지의 시(詩)와 시조(時調)³¹

웅동 놀이터에 놀러 오니³²

春日幸遊熊洞莊　봄날에 요행히도 웅동 놀이터에 놀러 오니

紅花滿地足端香　벚꽃은 땅에 가득 차 발끝까지 향기롭구나.

山形疑是華屛列　산 형세는 마치 꽃병풍을 둘러 놓은 듯

歌舞音樂昔風樣　노래하고 춤추는 모습은 옛 풍속 같기도 하이.

방원갑 씨를 찾아가 바다를 바라보며 읊음〔訪方元甲望海吟〕³³

遠浦歸帆北向來　멀리서 고깃배 돌아오는데

靑山鎭海碧波輤　청산 진해의 푸른 물은 겹겹이로구나.

主人住所何番地　주인의 주소는 어디일는지

勸我慇勤酒一杯　나에게 술 한 잔을 은근히 권하더라.

무정한 기차소리 어찌 그리 처량한가³⁴

무정한 기차소리 어찌 그리 처량한가.

만천리(萬千里) 원객(遠客) 회포 고향 생각 절로 나네.

이내 몸 화신선(化神仙)하여 임 상봉(相逢)하여 볼까.

차를 타고 높은 재를 넘으니[35]

乘車泰嶺實如平　차를 타고 높은 재를 넘으니 실로 평지길 같구나.
深谷柳邊黃鳥鳴　깊은 골짜기 버들가엔 꾀꼬리 울고
山勢恰似騾馬立　산세는 흡사히 나귀 서 있는 모양
水波疑是白雲成　수파는 마치 백운같이 보이기도 하더라.

음사월초파일〔陰四月初八日, 불탄일(佛誕日)〕[36]

四月山深八日天　사월달에 산은 깊고 오늘이 초파일
攜節尋寺坐川邊　지팡이를 끌고 절을 찾아 천변에 앉았도다.
佛母山前聖住寺　불모산 앞에 자리잡은 성주사는 아득한
新羅興德十餘年　신라 흥덕왕 십여 년의 창건이라네.

여름날에 요행히 높은 저택에 올라 보니[37]

夏日幸登第一樓　여름날에 요행히 높은 저택에 올라 보니
熊山落脈束川頭　웅산낙맥이 속천 머리에 맺혔구나.
主人淸德看如許　집 주인의 청덕은 어찌 보이더냐
碧水溶溶四海流　푸른 물이 사해로 펑펑 흘러넘치더라.

도봉산(道峯山)[38]

道峯玉水石間流　도봉산 옥수물은 돌 사이로 흐르는데

探景萬人歌舞遊　소풍객 뭇사람들 춤추고 노래하네

無情歲月如射矢　아, 무정세월은 쏜살과 같아야

於焉平生五十秋　어언 내 평생도 쉰 살이 넘었구나

31. 이 한시와 시조들은 부친 김용대가 빼어난 풍광을 바라보며 읊고 일기에 적어 둔 것으로, 김익권이 그 가운데 여섯 수를 발췌한 것이다. 말미에 덧붙인 한시는 김익권의 작은누나 김언례가 지은 것이다. ―편자

32. 1958년 4월 13일. 진해 웅동에서.(제목은 편집자가 달았다.)

33. 1958년 5월 3일. 진해에서. 진해 바닷가 방원갑이란 분을 찾아가서 바다를 보고 읊은 작품이다.(제목은 편집자가 달았다.)

34. 1958년 5월 15일. 진해에서. 마나님을 고향에 두고 홀로 진해에 내려오셔서 한 달 남짓한데, 고향과 마나님이 그리워 지은 듯하다.(제목은 편집자가 달았다.)

35. 1958년 5월 24일. 창원 마금산온천(馬金山溫泉)에서. 경남 창원에서 북쪽으로 높은 재를 넘어가면 낙동강(洛東江)에 합한 분지(盆地)에 마금산이란 온천이 있어 전원풍경이 평화롭다.(제목은 편집자가 달았다.)

36. 1958년 5월 26일. 창원 성주사(聖住寺)에서. 창원 불모산(佛母山) 골짜기에 신라 고찰(古刹) 성주사가 있다.(제목은 편집자가 달았다.)

37. 1958년 6월 15일. 진해 속천(束川) 부둣가에서. 당시 이곳에는 육대 총장이시던 이종찬(李鍾贊) 장군님의 저택이 있었으며, 경치가 절경이다. 그 댁을 방문하고 읊으신 것이다.(제목은 편집자가 달았다.)

38. 1962년에 김익권의 사매(舍姊) 호루(浩樓) 여사가 읊은 시.

발(跋)
전통 향촌의 전형적 지식인, 학산(鶴山)의 가르침

『우리 아버지』는 아버지께서 예순이 되던 해에 할아버지를 추억하며 집필하시기 시작해서, 예순둘이 되시던 1984년 9월 5일에 을지출판사에서 비매품으로 출판하신 책이다. 아버지는 할아버지께서 살아가셨던 모습 중에서 후손에게 교훈이 될 만한 에피소드를 기억을 더듬어 적어 모으고, 또 할아버지의 한시(漢詩), 거기에다 고모의 시조 한 수도 덧붙여서 책으로 엮으셨다.

여기에는 학산(鶴山) 할아버지의 고매한 인격과 혜안(慧眼)이, 아버지가 할아버지 슬하에서 살아가면서 겪고 들었던 이야기와 함께 펼쳐진다. 그러나 학산 할아버지의 범상치 않은 삶은 결국 우리의 고전적(古典的) 가르침을 열심히 따르다 보면 자연스럽게 습득되는 교양에 바탕을 둔 것으로, 신비한 기적과 같은 것이 아니고 일상적인 생활에서 매사에 정도(正道)를 따르면서 수신(修身)함으로써 자연히 얻어진 결과였다. 우리 역사상 마을의 지도자였던 많은 촌로들이 그러한 모습을 지니고 사셨다고 나는 믿는다.

아버지는 지극히 정성스런 효자이셨다. 막내이고 또 군인으로서 임지를 떠돌았으므로 할아버지를 직접 모실 기회는 많지 않았으나, 항상 우리 자식들에게 할아버지는 매사에 정성스럽고 영험(靈驗)한 분이시라고 말씀해 주셨다.

아버지께서 『우리 아버지』 집필을 시작하시던 것은 회갑에 이르러

서였다. 그때는 공직에서 은퇴하신 지 여러 해 되어 생계에 대한 불안이 따를 만한 시기였을 터인데, 나라에 충성했던 조상님 덕분으로 안정된 생활, 안락한 노후를 누릴 수 있게 되니 아버지는 할아버지에 대한 감사의 마음이 더욱 사무쳤을 것이다. 또 시간적 여유도 있었을 때라 아버지는 할아버지 슬하에서 지내던 포근한 시절을 그리워하며 책을 집필해서 할아버지 영전에 바치셨다.

아버지가 할아버지께 하셨듯이, 지금 나도 회갑을 맞아 아버지의 유고를 정리하여 이 자서전을 만들어 아버지 영전에 바친다. 그러면서, 아버지께서 조상님의 유산을 잘 보존하여 물려주셔서 자손들의 생활에 어려움이 없도록 해주신 데 대한 감사의 마음이 시간이 흐를수록 더욱더 절절해짐을 느낀다.

아버지를 모시고 살면서 보고 배우고 느낌으로써 아버지의 인생철학을 은연중에 물려받았음을 큰 행복으로 생각하던 터였지만, 아버지와 할아버지에 대한 원고를 정리하면서 아버지께서 지닌 삶에의 혜안과 올바르게 살아가던 자세를 더욱 절실히 접하게 되어, 다시금 나의 자세를 고치고 반성하는 기회를 가질 수 있음을 복되게 생각한다.

한 사람의 자서전은 어쩌면 일개 인간의 작은 이야기에 지나지 않을 수도 있다. 그러나 어떤 사람들은 일반적인 보통의 삶보다 더 큰 삶을 살기도 했다. 이 두 분, 아버지 시곡(柿谷)과 할아버지 학산이 그러셨다. 이분들은 정승판서의 높은 직책을 가지셨던 분들도 아니었고, 세속의 영화를 좇아 화려하게 사셨던 분들도 아니었다. 학산 할아버지는 시골에서 동리의 일을 이끌어 나가는 데 없어서는 안 될 부지런하고 학식있는 농부이셨다. 그분은 예전에 향촌에서 침도 놓고 산소 자리도 보고 마을의 여러 가지 일에서 지도자 노릇을 하던 존경받던 촌로이셨다.

아버지의 말씀에 따르면, "나의 아버지는 유교적인 학문과 도교적인 인생관을 겸한 분이셨다. 독농가(篤農家)로서 성실하고 부지런한 농부로 평생을 사시면서, 열심히 일하고 공부하며 자녀와 남을 가르친 지성의 인간이셨다"고 한다. 또 "아버지께서는 평생토록 침을 놓으며 활인적덕(活人積德)하셨다. 내 고향은 예전 시골이라 부근에 의원도 없었으므로, 주로 유아와 청소년들이 침을 맞으려 인근 부락에서 많이 찾아오곤 하였다. 돈은 받으시지 않고, 사례로 담배 한 갑 정도를 놓고 간다"고도 했다. 이런 풍경은 요즈음 새로운 학설로 대두되는 전통 향촌의 전방위적 지식인의 전형, 즉 사의(士醫, 선비의사)의 모습을 잘 보여 준다. 아버지는 계속해서 이렇게 말씀하셨다. "시골에서 학문이 있고 나이 드신 분들은, 흔히 시골 사람들의 일상생활의 풍습상 필요한 제반사(諸般事)에 선생님 노릇을 한다. 소위 고로(古老)에 속한다고나 할까. 그 지방의 내력, 유래는 물론이요, 사주, 택일, 점 등을 물으러 오면 무슨 보수를 바람도 아니요 정성껏 일러 주신다. …만년에 풍수지관(風水地管)으로 이름이 나셔서 인근 부락에선 초상만 나면 산소 자리 잡아 달라고 모셔 간다."

학산 할아버지는 우리의 훌륭한 선조들이면 누구나 그랬듯이, 자연히 몸에 밴 유교적 교양으로 다스려진 인격을 갖추고, 자신을 엄격히 다루는 예를 숭상하는 생활태도를 가지셨다. 그러나 옛 선비들이 그랬듯이, 벗이 먼 곳에서 오거나 아름다운 경치 앞에서는 시 한 수 읊어 나눌 수 있었던 마음의 여유를 갖고 계신 분이셨다. 지금 말로 하면, 문화를 향유할 줄 알고 열심히 일하고 사회적 지도력이 있는 바람직한 향토사회의 교양인이었다.

나의 아버지 시곡은 그런 아버지의 교양과 몸가짐과 사상과 정취를 고스란히 물려받으셨다. 거기에 더해 나라 뺏긴 설움에서 절실히 느낀 바가 있어 청춘 시절에 새 나라를 지키려는 군인이 되겠다는 결심을 하고, 훌륭한 지휘관이 되기 위해서는 사(私)를 멀리하고 공명정대(公明正大)해야 된다고 맹서하던 초심으로 전 생애를 초지일관하신 분이다.

　요즈음은 금전만능주의적 풍조로 우리의 신념이나 풍속이 경박해지고 있다. 눈에 보이지 않는 내면의 가치를 점점 평가절하하는 요즈음에 이 책은, 풍부한 정신적 밑바탕과 부지런한 생활로 멋있게 살았던 우리 조상들의 고매한 삶의 질을 다시 새겨 볼 수 있도록 할 것이다. 결국 현대의 바람직한 중산층 시민이 추구하는 '웰빙'은 바로 이런 깊은 맛과 멋이 어우러지는 삶이 아닐까. '김익권 장군 자서전'의 제2권인 이 책 『우리 아버지 이야기』는 전통적 대부(大夫) 가정의 가정교육의 핵심인 올곧은 선비정신, 삶의 태도와 여유에 대해서 음미하도록 우리를 이끈다.

2011년 6월
시곡(柿谷)의 차녀이자 학산(鶴山)의 손녀인
김형인(金炯仁) 삼가 씀

찾아보기

김익권(金益權, 1922-2006)은 경기도 광주(廣州)에서 태어나
서울대학교 법과대학(1회)과 육군사관학교(5기)를 졸업했다.
육이오 때 육군본부 소속 연락장교로 참전했으며, 육군본부 작전과장,
육군대학 교수단장, 육군정훈학교 교장, 육사 생도대장, 37사단장,
5사단장, 6군단 부군단장 등을 거쳐 육군대학 총장을 마지막으로
이십사 년간의 군 생활을 마치고 육군 소장으로 정년 퇴역했다.
이후 오 년간 중경고등학교 교장을 지냈고,
은퇴 후 시곡농장(柿谷農場)에서 농사를 지으며 노후를 보냈다.

*세부 약력은 『김익권 장군 자서전 1-참군인을 향한 나의 길』 pp.323-333의
'김익권 연보'를 참조하십시오.

145

김익권 장군 자서전 2
우리 아버지 이야기

초판1쇄 발행 2011년 10월 1일
발행인 李起雄 **발행처** 悅話堂
경기도 파주시 교하읍 문발리 520-10 파주출판도시
전화 031-955-7000 팩스 031-955-7010 www.youlhwadang.co.kr yhdp@youlhwadang.co.kr
등록번호 제10-74호 **등록일자** 1971년 7월 2일
편집 조윤형 백태남 박세중 **북디자인** 공미경 황윤경 엄세희 **인쇄 제책** (주)상지사피앤비

*값은 뒤표지에 있습니다.

ISBN 978-89-301-0403-6 ISBN 978-89-301-0405-0(전3권)

The Autobiography of Kim Ik-Kwon 2 © 2011 by Kim Hyong-In.
Published by Youlhwadang Publishers. Printed in Korea.

이 도서의 국립중앙도서관 출판시도서목록(CIP)은
e-CIP 홈페이지(http://www.nl.go.kr/ecip)와
국가자료공동목록시스템(http://www.nl.go.kr/kolisnet)에서
이용하실 수 있습니다.(CIP제어번호: CIP2011003674)